Herberd Prinsen

Zeg NEE tegen pesten

Praktische gids voor leraren, hulpverleners,
begeleiders en ouders

LANNOO
CAMPUS

D/2012/45/434 – ISBN 978 94 014 0429 7 – NUR 840

Vormgeving omslag: Nanja Toebak, 's-Hertogenbosch
Vormgeving binnenwerk: Mat-Zet bv, Soest
Foto omslag: © Driscoll Imaging/Shutterstock

© Uitgeverij Lannoo nv, Tielt, 2013
Dit boek is een uitgave van Uitgeverij LannooCampus (Houten). LannooCampus maakt deel uit van Uitgeverij Lannoo nv.

Uitgeverij LannooCampus
p/a Papiermolen 14-24
3994 DK Houten (Nederland)
Postbus 97
3990 DB Houten (Nederland)

www.lannoocampus.nl

INHOUDSOPGAVE

Als je hoofd met je hart is verbonden, kunnen je handen en voeten
de meest wonderlijke dingen doen.

(Desiree Röven)

Via Facebook kreeg ik het verzoek om een berichtje te posten wanneer je tegen pesten en stereotypering bent. Dat heb ik natuurlijk gedaan. Ik hoop dat door het posten op Facebook en door dit boek steeds meer mensen stoppen met pesten en niet alleen afgaan op het uiterlijk. Als je je werkelijk verbindt met de ander en geïnteresseerd bent in wie iemand is, dan zullen steeds meer mensen 'NEE tegen pesten zeggen'.

- Een vijftienjarig meisje houdt de hand van haar één jaar oude zoontje vast. Mensen noemen haar een slet. Niemand weet dat ze is verkracht.
- Collega's noemen hun chef dik. Niemand weet dat hij lijdt aan een ernstige ziekte waardoor hij zo zwaarlijvig is geworden.
- Mensen noemen een oude man lelijk en kinderen roepen 'monster' naar hem. Niemand weet dat hij in de oorlog ernstige verwondingen heeft opgelopen tijdens het vechten voor ons land.

VOORWOORD

Nieuwe inzichten in theorie en praktijk, mijn ervaring in meer dan vijftien jaar hulpverlening en trainingen en de recentste ontwikkelingen in het onderwijs en de maatschappij, waren voor mij aanleiding om deze praktische gids over pesten te schrijven. Dit boek kan scholen, instellingen en (sport)verenigingen helpen om de titel van dit boek waar te maken.

Bij Jurgen begon het pesten al in groep 5 van de basisschool; hij mocht nooit met andere kinderen spelen. Op een gegeven moment kregen zijn klasgenoten in de gaten dat hij nogal gevoelig was en dat ze hem makkelijk aan het huilen konden krijgen. Dit was voor hen en later anderen, het startschot om hem zo te treiteren dat hij huilend wegrende. Dit zette zich nog heftiger door in het voortgezet onderwijs en daarna op de universiteit. Ook in zijn huidige baan steken pesterijen soms de kop op.

Jurgen vertelde mij dit tijdens het eerste begeleidingsgesprek. Ook vertelde hij dat hij meerdere malen eraan dacht om een einde aan zijn waardeloze leven te maken. De P&O functionaris van het bedrijf waar Jurgen werkt, had hem de tip gegeven om eens met een professional te praten, omdat hij met tegenzin en angst naar zijn werk ging. Hij vertelde me dat hij tijdens zijn laatste functioneringsgesprek had aangegeven dat zijn collega's hem regelmatig treiterden.
- Welke verantwoordelijkheid hebben ouders, de school, een werkgever als het er om gaat dat iemand bijna elke dag met plezier begint?
- Wanneer grijp je in het leven van iemand in?
- Hoe pak je dit voor alle partijen professioneel en passend aan?

Draag je een bril, beugel, heb je rood, bruin of blond haar of draag je geen merkkleding of juist wel? Tegenwoordig kan alles aanleiding geven om gepest te worden. En je kunt met dezelfde kenmerken ook tot de populairste kinderen behoren. Uit onderzoek blijkt dat ongeveer 20-25% van de jongeren regelmatig gepest wordt. Ruim 65% procent vertelt dit niet tegen hun mentor, korfbalbegeleider, vriend(in) of ouders. Nog erger is dat 80% van de volwassenen niet ingrijpt als ze het signaleren. Uit mijn gesprekken met jongeren blijkt vaak dat pesten heel veel te maken heeft met de wijze waarop een school, instelling, (sport)vereniging en dergelijke hiermee omgaat. Hoe sneller en adequater erop gereageerd wordt, hoe sneller het afneemt. Het is een illusie dat je pesten kunt stoppen, maar je kunt het wel tot een minimum reduceren.

Een actieve en alerte houding van scholen, (sport)verenigingen, instellingen en ouders helpt de openheid en de sfeer van veiligheid te vergroten. Scholen en instellingen moeten zich meer en meer bewust worden van de sleutelrol die zij spelen bij het voorkomen en bestrijden van pesten. Veiligheid voor jongeren mag voor een school geen loos begrip zijn. Het vraagt om een alerte houding van alle betrokken professionals op de eigen organisatie en een bekommernis om het welzijn van jongeren.

Daarnaast is het heel belangrijk dat het zelfvertrouwen van alle jongeren groter wordt zodat ze hun grenzen kunnen aangeven, nee kunnen zeggen en beter voor zichzelf kunnen opkomen. Het zelfvertrouwen van jongeren zal toenemen als ze het gevoel hebben dat ze er toe doen, dat ze iets kunnen en dat ze verantwoordelijkheid en autonomie hebben. In dit boek staan veel verhalen van jongeren die zijn gepest of zelfs op latere leeftijd nog steeds worden gepest en welke gevolgen dit voor ze heeft. Verder staan er in dit boek vele tips voor scholen, instellingen, (sport)verenigingen hoe je het kunt signaleren, hoe te handelen (plan van aanpak) en natuurlijk nog veel belangrijker hoe je het zoveel mogelijk kunt voorkomen.

Duizend kilo begeleiding, coaching of therapie kan niet op tegen één gram preventie. Dat legt het fundament voor een veilige school, instelling of (sport)vereniging. Dit fundament moet natuurlijk verder uitgebouwd en regelmatig onderhouden worden. Leren en werken worden leuker en zinvoller in een veilige omgeving.

Ik heb dit boek geschreven als ervaringsdeskundige op het gebied van gepest zijn en verder als docent/mentor, leerlingbegeleider en hulpverlener, die met diverse materialen, theorieën en methodieken heeft gewerkt. Jos Derksen heb ik gevraagd om als ervaringsdeskundige de methodiek *Over de streep* te beschrijven. Jos, dank voor je vele praktische en direct bruikbare tips en handvatten en de vele ervaringen en praktijkvoorbeelden.

Ten slotte hoop ik dat dit boek er aan mag bijdragen dat de leef- en werkomgeving van kinderen zo veilig wordt dat hun zelfvertrouwen kan groeien, waardoor pesten zal verminderen. Als iedereen in een veilige omgeving de erkenning krijgt die hem toekomt en ieder mens mag en kan zijn wie hij is, dan is pesten niet meer nodig. Pesten zal dan verdwijnen als een sneeuwpop waar je twee emmers heet water overheen gooit. Ik dank alle lezers van dit boek dat ik op deze wijze van betekenis kan en mag zijn in de groei en ontwikkeling van kinderen naar betekenisvolle en betrouwbare volwassenen.

In wat volgt kies ik voor het gebruik van de mannelijke vormen van het persoonlijk voornaamwoord om het lezen te vergemakkelijken. Uiteraard kun je steeds zowel vrouwelijke als mannelijke personen invullen wanneer ik spreek van leerling, kind, jongeren, jongere, mentor, begeleider, leraar, leerlingbegeleider, coach, hulpverlener en dergelijke.

Een woord van dank gaat uit naar de jongeren, volwassenen en mijn beide dochters Maud en Kim met wie ik van gedachten mocht wisselen, het vertrouwen heb gekregen in de verhalen die ze met mij hebben gedeeld en op wie ik de oefeningen mocht uitproberen. Verder een woord van dank aan mijn familie, vrienden en collega's die mij elke keer weer bemoedigden en tot nieuwe inzichten brachten. Tot slot dank aan mijn vrouw Petra voor haar geduld, inspiratie en meelezen.

Herberd Prinsen
Houten, september 2012

In het laatste gesprek vertelde Jurgen mij dat hij na een goed gesprek met zijn ouders meer eigengrond is gaan voelen en dat hij er aan gaat werken dat deze groter en steviger wordt. Het gesprek met de teamleider en de collega's die hem nu nog af en toe pesten heeft er toe geleid dat het thema veilige werkomgeving/sfeer op de agenda staat en iedereen weet welke schadelijke invloed pesten heeft op de kwaliteit van leven.

DEEL A

DE THEORIE

*Beter komt niet van meer, maar van een dieper ervaren
en beleven van wat er al is.*

(Lynne Twist)

Ervaringsverhaal Miranda

De ouders van Miranda hebben een boerderij en verbouwen graan en maïs. Miranda werd al vanaf het begin op school gepest en uitgescholden dat ze stinkt en een domme boerin is. Haar juffen en meesters hebben dit nooit opgemerkt en Miranda heeft het nooit verteld, ook niet aan haar ouders. Ze schaamde zich dat zij niet sterk genoeg was om er wat tegen te doen. Niemand zag haar stille verdriet. Miranda hoopte dat het zou stoppen als ze naar het voortgezet onderwijs zou gaan, omdat de meeste van haar pestende klasgenoten naar een andere school gingen.

Om te voorkomen dat kinderen haar op haar nieuwe school weer zouden pesten, had ze zich voorgenomen om vanaf eerste dag de zwakste in de groep slachtoffer te maken door hem te pesten. Dat lukte haar goed. Ze was al snel de grootste pestkop van de klas en wist veel medestanders om zich heen te verzamelen. In de bovenbouw was ze uitgegroeid tot een echte leider. De groep – of misschien moet ik ze wel bende noemen – beperkte zich niet alleen meer tot het pesten, treiteren en jennen van leerlingen en docenten. Ze vertoonden inmiddels ook ander crimineel gedrag en stalen regelmatig drank, sigaretten en dergelijke uit de supermarkt in de buurt. De opdrachten werden door Miranda gegeven en door de onderste in de rangorde uitgevoerd.

Ook nadat ze geslaagd waren, bleef de groep met Miranda als leider doorgaan met crimineel gedrag. Het gedrag werd steeds extremer. De groep begaf zich op het boevenpad en er werden regelmatig groepsleden gearresteerd en veroordeeld. Miranda was inmiddels zevenentwintig en al drie keer veroordeeld tot een gevangenisstraf van een paar maanden. Op de momenten dat ze weer vrij was, stopte ze niet met haar criminele gedrag. Sterker nog, ze was een geduchte leider in de drugswereld geworden. Op haar tweeëndertigste werden zij en haar vriend tijdens een grote drugsdeal door een andere bende doodgeschoten. Haar dochtertje van twee wordt nu door de ouders van Miranda opgevoed.

HOOFDSTUK 1

Op veel scholen en (sport)verenigingen wordt vaak gepraat over pesten. In het kader van preventie stellen zij dikwijls samen met de groep/team/klas een pestcontract op. Dat betekent in de praktijk echter niet dat pesten zeldzaam is geworden. Bovendien heeft de laatste jaren het pesten een digitale vorm gekregen op internet. Via de sociale media, via sites en via de smartphones met hun uitgebreide mogelijkheden is het pesten enorm toegenomen. Probleem hierbij is dat de meeste kinderen veel beter op de hoogte zijn van de gebruiksmogelijkheden van deze moderne media dan de meeste van hun docenten, ouders, sportbegeleider en dergelijke. Daardoor worden veel vormen van pesten door de school, (sport)vereniging of instelling niet gesignaleerd. Zij zullen er echter niet aan ontkomen zich grondig in het gebruik van deze media te verdiepen. Ook moet digitaal pesten in de protocollen opgenomen worden met totaal andere spelregels. Uit veel onderzoek blijkt dat pesten zeer schadelijke effecten voor kinderen kunnen hebben die tot ver in hun volwassenheid door kunnen werken. In paragraaf 1.4 worden deze negatieve effecten uitgebreid beschreven.

Ook onder volwassenen, zoals bij Jurgen, komt pesten voor met alle persoonlijke schade van dien. Om pesten zoveel mogelijk te voorkomen is het voor iedere school, (sport)vereniging of instelling noodzakelijk een visie en daarop gestoeld beleid te ontwikkelen. In deze visie zou duidelijk moeten staan, wat de school verwacht van leerlingen, docenten, mentoren en mensen die de school bezoeken, als het gaat om de wijze waarop met elkaar wordt omgegaan. Een expliciete uitspraak dat er in en rond de omgeving waar kinderen vertoeven, geen ruimte is voor pesten en dat degenen die zich daar wel schuldig aan maken daarop worden aangesproken, is daarvan onderdeel.

Door vele veranderingen in de maatschappij en het onderwijs wordt er meer dan eens een beroep gedaan op het hebben van voldoende zelfvertrouwen, sociale vaardigheden en een veilige leer- en werkomgeving. Dit is voor mij aanleiding geweest om voor scholen, ouders, (sport)verenigingen en instellingen scholing, informatiebijeenkomsten en trainingen te ontwikkelen. Mede daardoor is er meer kennis over wat pesten is, welke invloed dit op het leven heeft en wat je als ouders, school, (sport)vereniging en instellingen kunt doen om de omgeving zo te maken dat zelfvertrouwen en veiligheid kunnen groeien en pesten niet nodig is. Zo zal iedereen het gevoel krijgen: 'Ik mag er zijn, ik doe er toe, ik ben de moeite waard, ik heb een plaats in en een invloed op het gezin, de klas, de (sport)vereniging en daardoor in de maatschappij.' Een jongere die dat uitstraalt en ervan overtuigd is dat hij er toe doet, zal dan ook veel minder slachtoffer worden van pesterijen. Voor ouders, scholen en instellingen is dat dé opgave en eigenlijk de belangrijkste bijdrage aan preventie. Met deze informatiebijeenkomsten, trainingen en scholingen streef ik ernaar dat iedereen zich bewust wordt:

- Wat pesten is en wat dit met iemand doet.
- Wie pest en wie wordt gepest.
- Van het feit dat je niet de enige bent die hiermee worstelt en je geen uitzondering bent.
- Dat je het zelfvertrouwen en de zelfredzaamheid kunt vergroten en gaat beseffen dat je hier zelf invloed op hebt.

1.1. OPZET EN VERANTWOORDING VAN DIT BOEK

Dit boek is een praktische gids voor en uit de praktijk. Het is vooral geschreven voor ouders, het onderwijs, (sport)verenigingen en de hulpverlening. In dit boek vind je geen uitgebreide theoretische beschouwingen. Voor mij als auteur is het belangrijk dat je direct aan de slag kunt met wat ik in dit boek beschrijf. Ik wil graag dat mensen inzicht krijgen in zichzelf, hun gedrag en hun context. Dit proces verloopt maar zelden makkelijk en zonder pijn. Ik geef al vele jaren (als docent, mentor en begeleider in het onderwijs) richting aan met name jongeren, zodat zij zich tot betekenisvolle volwassenen kunnen ontwikkelen. Hierdoor ben ik er steeds meer van overtuigd geraakt dat ik door deze begeleiding zelf minstens zoveel rijker en wijzer ben geworden als de jongeren die ik heb mogen begeleiden. Zij waren één van de belangrijkste bronnen waaruit ik heb mogen putten voor dit boek.

Met dit boek wil ik vooral laten zien hoe je als begeleider of ouder op een zinvolle manier kinderen kunt begeleiden, door ze namelijk werkelijk te *ontmoeten* en echt contact met ze te maken. Hierbij heb ik gekozen processen te beschrijven die dit contact sterk beïnvloeden, zoals de manier waarop je als ouder of begeleider met kinderen communiceert, de manier waarop je met een groep omgaat en de manier waarop je je als mens in het contact met kinderen en hun ouders positioneert. Tijdens veel van mijn gesprekken delen mensen hun ervaringen en stellen ze vragen als: 'Wat kun je doen

als ... gebeurt?' en 'Hoe ga je om met een kind, dat ...?' Mensen vragen dan
om kennis en vaardigheden die direct in de praktijk kunnen worden gebracht. Meestal zijn het vragen waarop geen eenduidig antwoord te geven
is. Dat gegeven maakt dit boek tot een gids, waar je geen kant-en-klare oplossingen vindt, maar die – als je ze op de juiste wijze uitvoert – vanzelf tot
het gewenste resultaat leiden. Er bestaat namelijk niet één goede manier.
Wel zijn er goede en inspirerende mensen, die onderling allemaal van elkaar verschillen in de manier waarop ze kinderen begeleiden. Tijdens ontmoetingen met deze inspirerende mensen ben ik steeds meer gaan begrijpen wat zij gemeen hebben in de manier waarop zij kinderen begeleiden en
wat ik hiervan herken in mijn eigen praktijk, namelijk dat wij ons elk op
onze eigen manier werkelijk *verbinden* met mensen en hen echt *ont-moeten*.
Dit boek biedt mogelijkheden om je perspectief als begeleider te verbreden
en kan helpen verschillende mogelijkheden te onderzoeken, die je vervolgens in je eigen praktijk kunt uitproberen. De zoektocht 'Wat werkt voor
mij en voor kinderen?' vergroot je bewustzijn als begeleider, waardoor je
steeds meer inzicht krijgt in de manier waarop je als begeleider en ook als
mens functioneert. Op basis van die inzichten, kun je steeds meer vaardigheden en kwaliteiten ontwikkelen. Dat proces maakt je tot een authentieke
en steeds betere begeleider en mens. Ga dit boek niet lezen door op pagina
één te beginnen en te eindigen op de laatste pagina. Het is bedoeld om te
lezen wat je nog niet weet, wat je nieuwsgierig maakt en doet verlangen om
op pad te gaan. Als je bijvoorbeeld al veel weet van groepsprocessen en
hieraan ook veel aandacht besteedt in je begeleiding, sla dit hoofdstuk dan
over of lees het later nog eens als bevestiging van wat je al goed doet. Vind
je het echter lastig om ouders bij dit proces te betrekken, lees dan in ieder
geval de paragraaf hierover.
In dit boek heb ik gedeelten overgenomen uit *Docent van nu* (K.J. Terpstra,
2011), *Mentor van nu* (K.J. Terpstra en H. Prinsen, 2011) en *Trainersboek
faalangst, examenvrees en sociale vaardigheden* (H. Prinsen, 2011). Wie deze
boeken al heeft gelezen, zal sommige delen van dit boek dus bekend voorkomen. Het *Trainersboek* is vooral gericht op het begeleiden van kinderen
met faalangst en/of sociaal onhandig gedrag. *Mentor van nu* gaat vooral
over het contact tussen mentor en leerlingen en je rol als mentor bij de begeleiding van je mentorleerlingen. Dit nieuwe boek is erop gericht de context van kinderen zo te veranderen dat pesten niet meer nodig is en daarnaast op het begeleiden van kinderen die gepest worden. Het gaat om
oefeningen die hen sterker maken, hen doen geloven in de eigen competenties en hen suggesties te geven om beter te reageren op dreigend pestgedrag.

1.2 DE BEGRIPPEN PLAGEN, TREITEREN EN PESTEN

Zoals ik in het voorwoord beschrijf, gaat er gemiddeld voor ruim 20% van alle jongeren geen dag voorbij zonder dat ze gepest worden. In het voortgezet onderwijs is dit ruim 16%. Om dit te kunnen beschrijven is er wel een duidelijke definitie van pesten nodig. Het is belangrijk dat we het verschil tussen plagen en pesten kennen. *Onder pesten versta ik dat een of meerdere jongere(n) een andere jongere of een groepje meer dan eens en gedurende een langere periode lichamelijk of geestelijk geweld aandoet met als doel de ander pijn te doen. Bij pesten heeft het altijd te maken met een machtsverschil: de pester is machtiger en de gepeste is ondergeschikt.* Voor mij valt treiteren onder pesten op het moment dat het structureel wordt.

Zoals je inmiddels weet, komt pesten onder alle leeftijdsgroepen en alle lagen van de bevolking voor: het kan iedereen overkomen. Het is goed te weten wanneer het nog net plagen is en wanneer het pesten is geworden. *Plagen is voor mij incidenteel en er is geen machtsverschil. De plager en de geplaagde zijn gelijkwaardig.* Zelfs langdurig en regelmatig negatief gedrag naar anderen blijft plagen zo lang er geen machtsverschil is. Plagen kan pesten worden als er niet door volwassenen gecheckt wordt wat het plagen met iemand doet en er niet passend gereageerd wordt op plagen.

Jongeren kunnen net als volwassenen ruziemaken met vrienden met wie ze al maanden of jaren bevriend zijn. Dit is niet erg, want ruzie is namelijk niet te vermijden. Conflicten kunnen ook veel verduidelijken en verhelderen. Het geeft je de mogelijkheid om te leren ruzie te maken. Dat is wat jongeren namelijk hebben te leren, waardoor ze krachtiger worden en ervaren dat hun eigengrond en daaraan gekoppeld zelfvertrouwen groeien. Ruzie kan een scharnier- of kantelpunt in een veranderingsproces zijn. Om respect van anderen te krijgen, is het belangrijk dat een jongere laat zien dat hij standpunten heeft waarvan hij niet afwijkt. Als je altijd om de lieve vrede toegeeft, zal je zelfrespect niet groeien. Sterker nog, het zal zelfs verminderen.

Jongeren die tijdens een conflict ervaren dat er naar hen wordt geluisterd en er respect is, zullen zich makkelijker schikken in een compromis. Voor een toeschouwer is niet altijd duidelijk of het plagen, pesten, kibbelen of ruzie maken is. Het kan er soms fel aan toe gaan en wanneer moet je nu ingrijpen? Als er wordt gevochten zul je natuurlijk ingrijpen door ze uit elkaar te trekken of op een andere manier de vechtpartij te laten beëindigen. Het is ook goed als je laat merken dat schelden een minder handige manier van communiceren is. Leer jongeren dat ruzie maken oké is als achteraf iedereen het gevoel heeft dat hij erop vooruit is gegaan en dat er voor het probleem een oplossing is gevonden. Ruzie maken kan ook een teken van pesten zijn. Onderzoek de signalen of het om pesten gaat (zie daarvoor hoofdstuk 2).

I.2.I WELKE ROLLEN?

In een groep waar gepest wordt zijn meestal verschillende rollen zichtbaar:
- De pester: hij die anderen pest of laat pesten. Als het een meisje is, wordt zij ook wel 'Queen bee' genoemd.
- De gepeste: hij wordt gepest, ook wel slachtoffer genoemd.
- De meelopers: zij doen mee met het pesten van anderen om zo zelf geen slachtoffer van pesten te worden. Zij hebben meestal te weinig zelfvertrouwen en status om nee te zeggen tegen pesten. Ze worden ook wel de werksters of vazallen van de 'Queen bee' genoemd.
- De zwijgende middengroep: zij doen vaak of ze blind en doof zijn (ze horen en zien niks en zeggen dat er in hun groep niet gepest wordt). Ze hebben meestal geen zin in het gedoe, dat vaak ontstaat als er op pesten wordt gereageerd.
- De held: hij die voldoende zelfvertrouwen en status heeft om nee te zeggen tegen pesten en ook probeert pesten te stoppen en het slachtoffer beschermt.

I.2.2 HOE KAN PESTEN ONTSTAAN?

Wanneer de omgeving waarin mensen leren, werken en leven niet veilig genoeg is, waarin niet consequent met regels en afspraken wordt omgegaan, waarin willekeur heerst in straffen en belonen, waarin inconsequent leiding wordt gegeven en een laisser faire, laisser passer houding bestaat, is de kans groot dat pesten de kop op steekt. Binnen zo'n klimaat is het moeilijk om het pesten te stoppen, als het al gesignaleerd wordt. Pesten verloopt meestal in een vicieuze cirkel, waarbij er een slachtoffer wordt gezocht. Als het slachtoffer reageert op een manier die de pester fijn vindt en hem meer macht geeft, dan zal hij het slachtoffer vaker pesten. Jongeren die zich niet verweren, gaan huilen of angst laten zien, maken een grote kans dat zij gepest worden. En ik kan het niet vaak genoeg zeggen dat dit minder of misschien zelfs niet zal gebeuren als de context veilig is en als de omgeving voldoende potentie heeft om zelfvertrouwen te laten groeien en ontwikkelen.

In een context waar pesten bespreekbaar is en waar volwassenen hun oren en ogen met betrekking tot pesten de kost geven, is de kans op een pestvoedingsbodem erg klein. Dit geldt ook voor een omgeving waar je je niet hoeft te schamen of bang hoeft te zijn, je een luisterend oor vindt en waar de regel wordt gehanteerd 'klikken mag als het om pesten gaat'. Hoe langer je gepest wordt en hoe langer er door volwassenen niet op wordt gereageerd, hoe moeilijker het wordt om je uit de slachtofferrol los te maken en het pesten bespreekbaar te maken. Dan kan er een gewenningseffect optreden en een sfeer ontstaan van 'Tja, het is altijd al zo geweest en we kunnen er toch niets aan veranderen' of 'Het is al zo vaak geprobeerd, maar het is nooit gelukt' of 'Nou, hij vraagt er zelf om gepest te worden'. Dit heeft vaak tot gevolg dat dit het schuldgevoel van de pesters en meelopers reduceert.

1.2.3 HOE WORD JE PESTER EN HOE WORD JE SLACHTOFFER VAN PESTEN?

In beide gevallen gaat het om jongeren met weinig zelfvertrouwen die te weinig of geen erkenning hebben gekregen voor hun geven. Daarnaast is de kans groot dat je pester wordt in een context zonder duidelijke kaders en waar je niet op negatief gedrag wordt aangesproken. Als je ouders het slechte voorbeeld geven of je niet of nauwelijks handige sociale vaardigheden leren, dan kan dit ook een voedingsbodem zijn om te gaan pesten.
Je loopt een grotere kans om slachtoffer van pesterijen te worden als je:
– Lichamelijk zwakker bent.
– Angstig en passief bent.
– Je vaak terugtrekt.
– Onzeker over jezelf bent.
– Een negatief zelfbeeld hebt.
– Weinig eigengrond en zelfvertrouwen hebt.
– Te weinig sociale vaardigheden bezit om handig contact te maken en te onderhouden.
– Weinig gevoel voor humor hebt (dan wordt plagen als snel als pesten ervaren).
– Uiterlijke kenmerken hebt die anders zijn (bijvoorbeeld merkkleding of juist niet, puisten, rood haar, grote neus of oren, bril of juist niet, scheve tanden e.d.).
– Non-verbale en verbale communicatie niet congruent is.

1.3 DIVERSE VORMEN VAN PESTEN

Recent is er veel aandacht voor de nieuwste vorm van pesten met digitale en sociale media. Het gaat dan om het gebruik van de digitale middelen zoals de smartphone, Facebook, Twitter, chatten, msn en dergelijke. Het blijkt dat de impact op gepeste jongeren van deze vorm van pesten, ook wel cyberpesten genoemd, vele malen groter is dan de meer traditionele vormen van pesten. Aangezien maar ongeveer 25% van de jongeren (cyber)pesten meldt bij de school, instelling, (sport)vereniging of ouders zijn cijfers over (cyber)pesten slechts het topje van de ijsberg.

Vormen van cyberpesten zijn:
- (Anonieme) dreigmails.
- Uitschelden, roddelen of buitensluiten in een chatbox.
- Versturen van een mailbom waardoor er zoveel mails binnenkomen dat de computer vastloopt.
- 'Stalking' met mails, sms'jes en dergelijke.
- Plaatsen van intieme en gemanipuleerde foto's en filmpjes op internet. Dit wordt onder andere 'bezemen' genoemd.
- Privégegevens van een ander op internet zetten en hiermee deze persoon inschrijven bij een dating-, escortsite, chatroom of iets dergelijks.
- Het versturen van seksueel getinte berichten, foto's en video's. Dit wordt ook wel 'sexting' genoemd.
- Bestellen van ongewenste post (bijvoorbeeld een proefabonnement of artikelen).
- Misbruiken of stelen van wachtwoorden en inloggegevens en je zo voordoen als een ander. Dit wordt ook wel 'hacken' genoemd.
- 'Happy slapping': het filmen en online zetten van iemand die mishandeld, verkracht of iets dergelijks wordt.
- 'Bangalijsten': het via internet versturen van lijsten met daarop een top tien van de grootste 'sletten'. Banga is straattaal voor slet.

Op dit moment zal er vast weer iets nieuws bedacht worden. Cyberpesten staat namelijk niet stil en is mijns inziens oneindig ...

Het grote probleem bij cyberpesten is dat de afzender vaak lastig is te achterhalen. Een nieuw mailadres via bijvoorbeeld Gmail is immers heel makkelijk en snel te maken. Je moet als school, instelling of (sport)vereniging veel moeite doen en meestal een expert benaderen om er achter te komen wie de afzender is. En zelfs dan kan het vanaf een algemene computer in een school, de bibliotheek of een andere openbare ruimte zijn verstuurd. Om die reden is het goed dat je als mentor, trainer, begeleider of coach scherp blijft observeren en je oren en ogen goed de kost geeft.

Regelmatig een groepsgesprek kan je veel informatie geven. Het helpt ook als je ouders op de hoogte brengt van deze vormen en hen vraagt om goed te luisteren naar hun kind en te verstaan wat hun kind communiceert. Ouders kunnen bijvoorbeeld tijdens de gezamenlijke maaltijd hierover veel informatie krijgen door met hun kind in gesprek te gaan over hoe hij de dag heeft beleefd. Cyberpesten is ook schadelijk omdat het moeilijk en in sommige gevallen zelfs onmogelijk is om dat wat op internet is gezet definitief te verwijderen. Iedereen moet wel weten dat vele vormen van cyberpesten strafbaar zijn en dat je hiervoor veroordeeld kunt worden. Op de website van Pestweb staat waarvoor je strafbaar bent en volgens welke wet je veroordeeld kunt worden. Gelukkig zijn er tegenwoordig websites zoals Pestweb waar je voor informatie en hulp terechtkunt. De overheid subsidieert diverse initiatieven om jongeren, scholen, instellingen, (sport)verenigingen te informeren over cyberpesten, hoe je het kunt voorkomen en slachtoffers van cyberpesten kunt helpen. Want cyberpesten is geen modeverschijnsel!

Voor scholen en instellingen is het van groot belang om afspraken te maken over hoe te handelen in geval van cyberpesten. Bij een 'gefotoshopte' foto of film van een leerling moeten scholen bijvoorbeeld weten hoe snel zo'n foto zich verspreidt op internet en wat de impact daarvan is. Bij het maken van afspraken willen we dan nogmaals wijzen op het strafbare karakter en het doen van aangifte bij de politie. In het kader van de Veilige School moeten scholen daarover goede afspraken maken met de politie en met de Veiligheidshuizen. Verder hebben we natuurlijk ook nog alle traditionele vormen van pesten, zoals:

– Duwen, slaan, schoppen, spugen en ander fysiek geweld.
– Kleineren, uitlachen, negeren, roddelen, buitensluiten en ander geestelijk geweld.
– Spullen van de ander afpakken, verstoppen of kapotmaken.
– Schelden, treiteren, koeioneren.
– Afpersen, bedreigen, tot slaaf maken.
– Stalken of laten stalken.
– ....

In de afgelopen jaren is er gelukkig meer aandacht voor het pesten door meiden, ook wel 'meidenvenijn' genoemd. Zij zijn betere pestkoppen dan jongens. Roddelen, buitensluiten en negeren zijn namelijk veel venijniger. Het heeft vaak grotere gevolgen, aangezien meiden gevoelig zijn voor wat anderen van ze denken en vinden. Vaak is er één meisje dat erg populair is om wie anderen – vaak meiden met niet al te veel zelfvertrouwen en die er graag bij willen horen – zich heen scharen. Deze 'Queen bee' bepaalt wie zij in haar groep wil en wat haar vazallen moeten doen. Omdat de meeste vazallen weinig zelfvertrouwen hebben en graag net zo populair willen worden, doen zij wat er van hen door de 'Queen bee' verwacht wordt. Door anderen te laten pesten wordt zij zelf steeds machtiger en is het fenomeen lastig te bestrijden. De volgende paragraaf beschrijft uitgebreider het verschil tussen jongens en meisjes.

1.4 VERSCHILLEN TUSSEN JONGENS EN MEISJES

Voor de beschrijving van de verschillen tussen jongens en meisjes in deze paragraaf, heb ik gedeelten overgenomen uit *Mentor van nu* (K.J. Terpstra en H. Prinsen, 2011). Tussen twaalf en achttien jaar maken jongeren veel veranderingen door ten gevolge van de ontwikkeling van de hersenen en een veranderende testosteronspiegel. Dat maakt ze extra gevoelig voor stress. Juist in de puberteit (voor mij is dit de periode van tien tot achttien jaar) kunnen zich veel situaties voordoen die om ander gedrag vragen dan in de kindertijd. Dit roept vaak angst en onzekerheid op en de consequenties daarvan kennen we inmiddels. In haar boek *Verschil mag er zijn* (2008) beschrijft Martine Delfos het verschil in reactie op een gevaarprikkel tussen mannen en vrouwen. Dat verschil wordt vooral veroorzaakt door het feit dat vanaf de puberteit de testosteronspiegel bij mannen gemiddeld genomen negen keer hoger ligt dan bij vrouwen. Detectie van gevaar gebeurt onbewust, terwijl het ervaren van gevaar bewust kan gebeuren. Gevaar kan alles zijn: een nieuwe groep/klas/team, boodschappen in de supermarkt doen, voor het eerst naar de disco of kamp enzovoort. Bij detectie van gevaar, maar ook bij een sterke emotie als woede, verdriet of pijn wordt door de bijnieren adrenaline gevormd en wordt het sympathisch zenuwstelsel geactiveerd. Daardoor gaat de ademhaling sneller en verwijden de pupillen en bloedvaten zich, waardoor je een rode kleur kunt krijgen. Er stroomt meer bloed en daarmee meer energie naar de spieren en minder naar de organen. Ook de cortex in de hersenen krijgt minder energie. Het gevolg daarvan is dat het lichaam in staat wordt gesteld tot fysieke actie in de vorm van instinctieve reflexen.

Angst die optreedt als detectie van gevaar is een gezond overlevingsmechanisme. De gevormde adrenaline stelt je in staat om op tijd weg te springen, voordat je onder een auto terechtkomt of om weg te duiken als er een bal naar je hoofd wordt gegooid. Veel adrenaline in je lichaam is onhandig in situaties die nadenken of een afgewogen reactie vereisen, situaties waarbij dus de cortex nodig is. Zo kan een jongere die een mondelinge overhoring voor de klas krijgt dit als zeer stresserend ervaren en zich het geleerde huiswerk niet meer herinneren. Of bij het nemen van de penalty of strafworp vergeten wat hij tijdens de training heeft geleerd of dat hij rare geluiden uitkraamt als hij in de disco een meisje ten dans vraagt. Meestal schiet hem dit na een uur, als de rust is weergekeerd en de adrenaline is afgebroken, allemaal weer te binnen. In rusttoestand gebeurt het omgekeerde: het parasympathisch systeem wordt geactiveerd en er gaat juist meer bloed en energie naar de organen. De spijsvertering werkt dan optimaal en ook het deel van de hersenen dat nodig is om helder te kunnen denken, functioneert optimaal. De verhouding tussen de hoeveelheden testosteron en adrenaline bepaalt mede hoe een individu op een gevaarprikkel reageert.

Het testosterongehalte bij mannen en vrouwen
Vanwege het negen keer hogere testosterongehalte zullen mannen eerder geneigd zijn tot handelen en vrouwen eerder tot niet-handelen. Handelen is gezonder wanneer er sprake is van stress. Het zorgt ervoor dat de adrenaline wordt verwerkt en de angst afneemt. Wanneer er in die situatie niet wordt gehandeld, dan blijft het adrenalineniveau lang hoog, wat op langere termijn schadelijk kan zijn en gezondheidsklachten kan veroorzaken. Bovendien leidt niet handelen tot een gevoel van falen. Wanneer dat vaak gebeurt, heeft dat een negatief zelfbeeld tot gevolg. Als een vergelijkbare situatie zich opnieuw voordoet, dan zal dat een grotere angst tot gevolg hebben. Uiteindelijk kan dat leiden tot somberheid, depressie of faalangst.
Er zijn jongens die vanwege diverse oorzaken minder testosteron aanmaken. Deze jongens lopen een groter risico om gepest te worden, omdat de kans dat ze handelen en voor zichzelf opkomen stukken kleiner is dan bij jongens die voldoende testosteron aanmaken. Met meer testosteron maak je vaak een meer zelfverzekerde indruk en neemt de kans op gepest worden af. Jongens zijn vaak wat later dan meisje in de puberteit en in deze periode zijn zij erg kwetsbaar en makkelijk slachtoffer van pesterijen. Meiden met meer testosteron dan andere meiden maken een zelfverzekerde indruk en worden vaak leiders van een positieve of negatieve groep. Volwassenen in het onderwijs, instellingen en (sport)verenigingen en ouders kunnen deze kracht en zelfvertrouwen kantelen naar een leider van een positieve groep waar je pesten niet nodig hebt.
In de puberteit, vaak een periode van onzekerheid, lopen meisjes meer kans op niet handelen dan jongens en daardoor op meer depressieve gevoelens. Vandaar dat het van het grootste belang is dat volwassenen dit signaleren en hulp aanbieden.

1.5 GEVOLGEN

We weten hoe groot het effect van pesten is op jongeren. En ook op latere leeftijd kan dit nog veel impact hebben. De geestelijke beschadiging is vaak zo groot dat het tot lang in de volwassenheid leidt tot nadelige en negatieve effecten. Enkele negatieve effecten van pesten zijn:

- Alleen nog maar emotionele pijn kunnen voelen; vaak ontstaan gevoelens van uitzichtloosheid en er geen gat meer in zien, niet zelden uitmondend in suïcidale gedachten.
- Erg gevoelig worden voor mogelijke uitsluiting, bang om genegeerd te worden.
- Een negatief zelfbeeld, gevoelens van minderwaardigheid en een ernstig gebrek aan zelfvertrouwen.
- Gevoel van grote onzekerheid en wantrouwen ten opzichte van anderen.
- De ontwikkeling van sociale vaardigheden stagneert of er ontwikkelt zich sociaal onhandig gedrag.
- Ontwikkeling van permanente stressreacties met daarbij behorende (psychosomatische) klachten als frequent toiletbezoek, braken, buikpijn, hartkloppingen, zweten, trillen, slecht slapen, bedplassen, huilbuien enzovoort.
- Concentratie- en ook vaak motivatieproblemen.
- Voelen zich vaak somber. Dat kan zich ontwikkelen tot een depressie, die mogelijk kan resulteren in suïcidale gedachten.

Je kunt niets verkeerd doen als je jezelf bent,
want niemand doet jou zo goed als jijzelf.

(Lee Glickstein)

Ervaringsverhaal Alfred

Alfred is een gevoelige jongen die een hekel heeft aan ruzie, elke vorm van conflict of onenigheid. Hij is van de harmonie. Hij is eigenlijk voorbeeldig, doet braaf wat hij moet doen en heeft een lief karakter. Hij en zijn ouders vragen zich vaak af waarom hij gepest wordt. Alfred zegt zelf: 'Ze vinden me gek. Ik ben gewoon anders.' Hij speelt vaak de clown om 'af te leiden', maar dat helpt niet altijd. Hij valt stil, kijkt met een waterige puppyblik naar mensen en je hoort hem bijna denken: waarom doen ze mij dat aan? Wie komt me te hulp? Ik hoop maar dat het snel ophoudt. Zijn ouders hebben na de laatste keer dat hij gepest is met hem afgesproken dat hij iets moet doen: 1) Zeggen: 'Stop, hou op, dat vind ik niet leuk', 2) weglopen of 3) hulp halen. Maar hij lijkt te bevriezen, doet helemaal niets.

Enkele gebeurtenissen die Alfred zijn overkomen:
- *Aan zijn haren getrokken en keihard met zijn mond op het aluminium hek geslagen. Dikke bloed lip, dikke neus ... en Alfred? Die doet niets ... huilt alleen maar.*
- *Tijdens een feestje is een aantal kinderen nogal hardhandig op zijn rug gaan zitten. Dat moet zeer doen, maar hij zegt er verder niets van. Hij heeft nog weken last van zijn rug ...*
- *Tijdens de pauzes wordt hij regelmatig fysiek en verbaal lastig gevallen. Alfred weet zich niet te verweren, kijkt alleen maar en doet niets.*
- *Op school en bij judo wordt hij vaak geduwd, geschopt en geslagen.*
- *De pesters gooien zijn jas en tas op de grond, springen van achteren onverwacht op zijn rug en verder wordt zijn fiets op de grond gegooid.*
- *Hij is slachtoffer van 'koetje melken'. Hij wordt dan stevig vastgehouden door een aantal jongens, terwijl iemand anders in zijn piemel knijpt. ('Hij lachte hoor, dus hij vond het leuk', zeiden ze later). Daarna werd hij ook nog in de prikbosjes geduwd.*
- *Twee meisjes zitten constant op hem te letten: 'Alfred, wat zit je haar raar', 'Alfred, wat zijn je nagels lang', 'Er zit een streep roze in je T-shirt, dat is voor meisjes hoor', 'Alfred, je tanden zijn geel'.*
- *Hij moet voorover gebogen staan en wordt dan heel hard in zijn kruis geslagen.*

In de klas wordt er ook wel eens geschreeuwd tegen hem. Hij lijkt zich volledig af te sluiten en net te doen of hij het niet hoort. Hij kijkt wel, maar lijkt door je heen te kijken. Kinderen gaan dan duwen en nog harder schreeuwen in de hoop een reactie te krijgen. Als de juf vraagt waar hij aan denkt, zegt hij: 'Dan denk ik aan een andere wereld, aan leuke dingen die daar gebeuren ... wegvluchten in gedachten.' Ook thuis heeft Alfred het liever niet over de pesterijen. Als het pesten zich blijft herhalen, gaat zijn moeder weer naar school om haar verhaal te doen. De juf heeft een luisterend oor en zegt dat ze het weer klassikaal zal bespreken. Na een kringgesprek met de klas wordt afgesproken dat Alfred gaat zeggen wat hij denkt. Als hij zich verbaal goed verweert, krijgt hij een sticker van de juf. Vaak vervalt hij in zijn oude gedrag. Het is alsof hij bevriest. Na een gesprek met de intern begeleider wordt Alfred aangemeld voor een weerbaarheidstraining en daarnaast krijgt hij individuele begeleiding van de schoolmaatschappelijk werker.

Nu drie jaar later gaat het erg goed met Alfred. Hij zit nu in het voortgezet onderwijs en wordt niet gepest en heeft vrienden met wie hij buiten school vaak afspreekt.

HOOFDSTUK 2

SIGNALEREN EN DIAGNOSTICEREN

Sander klikt in een vlugge beweging zijn msn-scherm weg als zijn moeder zijn kamer binnenkomt. Met een grote smile op zijn gezicht zegt hij: 'Dag mam, en bedankt voor het kopje thee!' Zijn moeder zet de thee en een plak ontbijtkoek op zijn bureau. Vlak voordat zij de deur achter zich dicht wil trekken om naar beneden te gaan, roept hij: 'Ik kom zo naar beneden. Ik ga eerst nog even mijn kamer opruimen!' Wat is het toch een schat, denkt moeder. Dezelfde avond krijgt moeder een telefoontje van de mentor dat hij een klacht heeft gekregen van ouders van een klasgenoot. Sander blijkt een pestkop te zijn. Moeder klapt dicht en weet niet wat ze moet zeggen. De woorden van de mentor blijven in haar hoofd nagalmen.

2.1 IK ZIE WAT JIJ OOK ZIET

Wie worden er gepest en hoe kun je dit zien? Het antwoord op deze vraag is niet eenvoudig. Temeer omdat er vaak gemakkelijk en snel etiketten geplakt worden, die niet altijd kloppen of die er nooit meer af gaan. We vellen immers vaak op basis van één of twee feiten een oordeel. Door goed te observeren en niet te snel te interpreteren en je werkelijk te verbinden met jongeren krijg je misschien de informatie die je nodig hebt om een voorzichtige hypothese en vervolgens een diagnose te stellen. De hypothese en diagnose moet direct kunnen veranderen zodra er nieuwe of andere informatie opduikt. Informatie kan komen van de mentor, leraren, medeleerlingen en natuurlijk ook van de ouders. Ook kun je gebruik maken van een vragenlijst. Het is erg belangrijk om te weten of je voldoende bent opgeleid om een harde diagnose te stellen, maar een hypothese op basis van voldoende feiten kan iedereen opstellen. Ook hierover in gesprek gaan kan iedereen, zolang niet jij maar de jongere centraal staat. Ga niet redden of aanklagen (zie beschrijving van de dramadriehoek in paragraaf 5.3). Jouw zijn en vooral luisteren en verstaan zijn het belangrijkste. Tijdens het gesprek kan duidelijk worden dat jij niet voldoende kennis en vaardigheden hebt. Stel dan de jongere voor hem te verwijzen naar een collega, zorgcoördinator of een externe deskundige/hulpverlener.

Tijdens de mentorles gaat het op een gegeven moment over vriendschap. De mentor vraagt wie er met wie bevriend is en waarom. Anneke (12) vertelt dat Merel (een klasgenootje) geen vrienden heeft en soms gepest wordt, omdat ze merkkleding draagt en een beetje bekakt praat. Het is eerst even stil en iedereen kijkt wat om zich heen. Vervolgens maakt de mentor het thema vriendschap en pesten bespreekbaar. Hij doet dit zonder te oordelen en te veroordelen. Omdat de mentor vanaf het begin van het schooljaar flink in positieve groepsvorming en veiligheid heeft geïnvesteerd, ontstaat er al snel een kringgesprek waarin iedereen vertelt over het lukken en mislukken bij het sluiten van vriendschappen en wie er nog meer gepest is.

Ook Merel vertelt wat dit voor haar betekent en wat zij zou kunnen doen om zich te verbinden en wat de klas zou kunnen doen. Voor het einde van het mentoruur worden er afspraken gemaakt om het pesten te stoppen en te voorkomen dat dit weer gebeurt. De mentor spreekt na de les nog even met Merel hoe dit voor haar was en of ze nog iets wil vragen of zeggen. Verder vertelt hij haar dat zij altijd bij hem of iemand anders terechtkan en dat ze ook eens een afspraak kan maken met de leerlingbegeleider of de zorgcoördinator om hier verder over te praten. Daarnaast zegt hij dat het waarschijnlijk erg goed is om hier thuis met haar ouders over te praten. Dit had ze nog niet gedaan, omdat ze haar ouders niet lastig wilde vallen daar zij al genoeg andere zorgen hebben.

2.2 EN SOMS IS HET BIJNA ONZICHTBAAR

Het stuk hierboven maakt duidelijk dat er soms weinig tot niets te zien is, omdat het slachtoffer niet zichtbaar wil worden, omdat hij zich schaamt of omdat hij zijn ouders niet tot last wil zijn. Er zijn vele redenen die ervoor zorgen dat kinderen niet willen praten over het feit dat ze gepest worden. In hoofdstuk 3 geef ik nog een aantal redenen. Daarnaast gebeurt het pesten soms zo subtiel dat het aan de aandacht van veel volwassenen ontglipt. Met de volgende signaleringslijst is het waarschijnlijk mogelijk om het bijna onzichtbare meer zichtbaar te maken. In de bijlagen vind je een verkort signaleringslijstje om eventueel pesten in jouw groep/team/klas te signaleren.

Signaleringslijstje om pesten of gepest worden op te sporen

De volgende opsomming kan niet als een soort checklist of afvinklijst gebruikt worden. De signalen kunnen namelijk ook op andere oorzaken duiden. Je hebt dus de taak alle signalen goed te onderzoeken door onder andere met de jongeren in gesprek te gaan. In de bijlagen vind je ook een signaleringsinstrument.

Signalen die op pesten kunnen wijzen:

- Opvallende gedragsveranderingen en een opvallende daling van cijfers.
- Het optreden van lichamelijke klachten zonder medische oorzaken, zoals buikpijn, hoofdpijn, stijve ledematen enzovoort.
- Toename van verzuim en spijbelen.
- Ouders geven aan dat hun kind 's morgens niet naar school wil omdat hij ziek is.
- Vaak vragen om een paracetamol.
- Zich terugtrekken; geen antwoord meer willen geven op vragen.
- Zich minder goed kunnen concentreren, waardoor resultaten vaak achteruitgaan.
- Niet tegelijk met andere leerlingen op school komen en naar huis gaan; vaak komen ze vroeger en vertrekken ze later.
- Bedplassen en slecht slapen en soms nachtmerries.
- Tijdens pauzes de kantine en het schoolplein mijden.
- Lopen langs muren of staan vaak met hun rug tegen een muur.
- Hangen vaak aan volwassenen die ze vertrouwen; dikwijls de ouders, maar ook sommige docenten, trainers en dergelijke.
- Vertellen meestal niets over school. Als ze al iets vertellen dan meestal over onplezierige dingen die ze hebben meegemaakt.
- Treuzelen zodra een keuze als bedreigend wordt ervaren.
- Een kleine aanleiding kan spontane huilbuien of emotioneel gedrag tot gevolg hebben.
- Liggen vaak buiten de groep; worden niet als eerste gevraagd als leerlingen zelf groepjes moeten vormen. Durven meestal niet voor zichzelf op te komen of doen dit wel, maar op een onhandige manier waardoor ze nog meer gepest worden.
- Zich terugtrekken; het ontwikkelen van extreme verlegenheid.
- Proberen bij anderen in het gevlij te komen, waarmee ze vaak over hun eigen grenzen gaan; cadeaus geven om erbij te horen, vaak aan de leerling die het pesten leidt.
- Heeft vaak blauwe plekken en schaafwonden. Gescheurde of besmeurde kleding. Eigendommen zijn kwijt of kapot.
- Thuis soms driftbuien en stemmingswisselingen.

- Steelt geld of snoep (chantage van de pestkop).
- Gebruikt in tekeningen vaak donkere kleuren en de tekeningen gaan vaak over geweld. Dit laatste geldt ook voor opstellen en werkstukken.
- Heeft vaak een kleinerende bijnaam en is doelwit van grappen.
- Wordt vaak geprovoceerd en is daardoor vaak bij conflicten betrokken.
- Schuldgevoel, dat het wel aan hemzelf zal liggen.
- Telkens als laatste gekozen worden of niet mee mogen doen.
- Een kind waar niemand naast wil zitten.

Van sticker naar maatwerk

In *Mentor van nu* (K.J. Terpstra en H. Prinsen, 2011) is beschreven hoe signaleren op een goede manier kan gebeuren. Deze tekst heb ik in verkorte vorm hieronder weergegeven. Jongeren laten aan de buitenkant meestal niet zien hoe ze zich voelen of wat hen bezighoudt. En mocht je ernaar vragen, dan krijg je vaak niet meer dan 'weet niet' als antwoord. Dit wil niet zeggen dat ze het werkelijk niet weten. Wanneer je het vertrouwen van jongeren hebt gewonnen en vraagt wat het moeilijk maakt om te vertellen wat ze voelen en wat ze bezighoudt, noemen ze vaak uiteenlopende redenen. Daarom is het belangrijk om goed en waardevrij te blijven observeren. Voor het signaleren en observeren bestaan signaleringsinstrumenten die speciaal zijn ontwikkeld om te onderzoeken wat er met de jongeren aan de hand kan zijn. Alle informatie samen geeft dan een steeds beter beeld van de jongere en aan welke begeleiding hij eventueel behoefte heeft of welke training hem kan helpen.

Observatie vraagt om een zekere deskundigheid. De grootste valkuil is om het gedrag van jongeren te snel te interpreteren en te verklaren. Uitspraken als *'Hij heeft geen ruggengraat'*, *'Door haar dominante vader ontwikkelt ze zelf geen initiatief'*, *'Oh, dat is een typische ADHD-er'*, zijn vormen van psychologiseren, van oordelende interpretaties en daardoor van het opplakken van etiketten. Die kunnen een zelfbevestigende voorspelling worden en daardoor verzwakkend werken. Op die momenten ga je als mentor, trainer, begeleider of coach 'uit contact' met de jongere die zich op dat moment niet meer gehoord, gezien of serieus genomen voelt of die (onbewust) denkt: 'Oh, daar kom ik makkelijk mee weg.' Een jongere die erg druk is in de klas en uitroept *'Ik ben nou eenmaal ADHD-er, dus ik kan er niks aan doen'* kun je dat dan ook niet meer aanrekenen.

Het is dus van het grootste belang dat een docent/mentor of begeleider of coach zich houdt aan de kale feiten en observaties. De eventuele conclusies die je daaruit kunt trekken vanuit je deskundigheid dien je voortdurend te checken. Het vraagt om bereidheid en openheid conclusies te herzien op basis van nieuwe observaties in het hier en nu. Hierdoor loop je het minste risico dat je conclusies een eigen leven gaan leiden en dat je als redder en meestal later als aanklager in de dramadriehoek terechtkomt (de dramadriehoek komt in hoofdstuk 4 uitgebreid aan bod). Op basis van de feiten die de observatie en eventuele signaleringsinstrumenten opleveren, kun je besluiten tijdens een gesprek te onderzoeken wat er zou moeten gebeuren binnen school, instelling, (sport)vereniging en thuis.

Een groot deel van de communicatie op welk communicatieniveau dan ook, is bewust en onbewust op non-verbale signalen gebaseerd. Ap Dijksterhuis (2007) beschrijft in zijn boek *Het slimme onbewuste* onderzoek waaruit blijkt dat mensen onbewust ongeveer tweehonderdduizend keer zoveel informatie registreren als bewust. Deze signalen worden ook voor een groot deel onbewust geïnterpreteerd. Deze interpretaties worden vooral door opvoeding en ervaring gevormd en kunnen sterk verschillen per cultuur. In onze cultuur kijk je elkaar aan als je met elkaar spreekt, in andere culturen juist niet. Op basis van deze interpretaties van non-verbale signalen reageren mensen op elkaar. Ook binnen één cultuur verschilt de betekenis van non-verbale signalen per individu. Een 'receptenboek' voor lichaamstaal bestaat dus niet. Met de armen over elkaar zitten betekent niet automatisch dat je een gesloten houding hebt.

Ook je eigen non-verbale gedrag tijdens (kring)gesprekken beïnvloedt het contact met de jongeren. Om die reden is het belangrijk voorzichtig te zijn met bepaalde gedragingen zoals vaak op je horloge kijken, met een pen op tafel tikken en onderuit zitten. Wees je bewust van de toon waarop je iets zegt en de manier waarop je naar de jongeren kijkt. Uit reacties van anderen op jouw gedrag kun je soms veel afleiden. Stel dat een jongere je vraagt waarom je zo boos kijkt, terwijl je helemaal niet boos bent. Je kunt hem dan vragen: 'Hoe komt het dat je denkt dat ik boos ben? Want dat ben ik helemaal niet!' Zo kun je wellicht ontdekken dat je vaak een diepe frons trekt als je heel geconcentreerd bent. Je kunt dan leren om je voorhoofd te ontspannen of je zegt vooraf dat je vaak je voorhoofd fronst als je nadenkt.

2.3 ENKELE SIGNALERINGSINSTRUMENTEN

Met behulp van signaleringsinstrumenten in de vorm van vragenlijsten kunnen jongeren het een en ander over zichzelf 'vertellen'. In het onderwijs wordt al jaren van verschillende van deze instrumenten gebruik gemaakt. Sommige worden inmiddels ook in de hulpverlening gebruikt. Veelgebruikte vragenlijsten zijn:

– De **GSV** (Geldergroep SchoolbelevingsVragenlijst; Geldergroep/Studeon; Cito) geeft inzicht in probleemgebieden die bij stagnatie in de studievoortgang een belangrijke rol kunnen spelen. De gebieden motivatie, concentratie, samenwerken, angst, bezorgdheid, sociaal zelfvertrouwen, welbevinden (o.a. pesten) en sociale wenselijkheid zijn graadmeter voor de signalering. Deze vragenlijst is voor jongeren een hulpmiddel bij het formuleren van hun zelfbeeld.

– De **VSV** (Vragenlijst Studie Voorwaarden; KPC-Groep) geeft inzicht in probleemgebieden die bij stagnatie in de studievoortgang een belangrijke rol kunnen spelen. De gebieden motivatie, concentratie, angst, welbevinden (o.a. pesten) en samenwerken kunnen dienen als graadmeter voor de signalering.

– De **SVL/SAQI** (Schoolvragenlijst; Pearson/Libbe Mulder) is een voorbeeld van een signaleringsinstrument. Met behulp van deze lijst stelt het kind als het ware een sociaal schoolprofiel van zichzelf op. Belangrijke graadmeters voor het functioneringsgevoel van het kind zijn de schalen die betrekking hebben op **SA** (zich sociaal aanvaard voelen), **SV** (de sociale vaardigheden die het kind zelf denkt te hebben), **ZP** (zelfvertrouwen bij proefwerken) en **PS** (plezier op school).

Met behulp van deze vragenlijsten stelt de jongere een 'profiel' van zichzelf op. Laat je eerst goed informeren over de voor- en nadelen van de verschillende vragenlijsten. Uitgevers en bureaus zijn graag bereid een demoversie toe te lichten. Zo kun je onderzoeken welke het prettigst werkt en welke het best past in de organisatie van jouw school, instelling of (sport)vereniging.
Welke vragenlijst je ook gebruikt, je moet weten dat de antwoorden in principe de volgende dag al niet meer valide kunnen zijn. Het is namelijk erg belangrijk met welke gedachten een jongere de vragenlijst heeft ingevuld en wat er net daarvoor is gebeurd. Een jongere die met veel plezier van huis is vertrokken en op school een paar goede cijfers of complimenten heeft gekregen zal zo'n lijst anders invullen dan als hij na ruzie met zijn vader van huis is gegaan, op school vervolgens een conflict heeft met een docent en daarna een vette onvoldoende terugkrijgt. Het is en blijft dus altijd een momentopname. Verder kan hij de vragenlijst sociaal wenselijk hebben in-

gevuld. Sommige uitgevers beweren dat hun vragenlijst dit scoort. Van jongeren krijg ik vaak te horen dat zij heel goed weten wat de controlevragen zijn en hoe ze hierop moeten antwoorden als ze niet willen opvallen. Het is en blijft dus aan de mentor, trainer, coach of begeleider om dit in een gesprek met de jongere, naar aanleiding van zijn ingevulde vragenlijst, na te vragen en te checken en hem zo nodig te confronteren met tegengestelde signalen die hij afgeeft en die door jou en eventueel door anderen zijn geobserveerd. Een vragenlijst is voor een jongere een hulpmiddel bij het formuleren van zijn zelfbeeld.

In het onderwijs worden de bovenstaande vragenlijsten meestal halverwege oktober klassikaal afgenomen. Het is verstandig om dit dus pas na ongeveer zes à zeven weken na het begin van het schooljaar te doen. Jongeren moeten zich wel eerst kunnen settelen en wennen in hun nieuwe omgeving. Mocht je al eerder inzicht willen hebben of een jongere wordt gepest dan kun je de signaleringslijst in de bijlage gebruiken.

Je kunt als mentor, coach, trainer of begeleider ook gebruikmaken van het signaleringslijstje als de school, instelling of (sport)vereniging geen gebruik maakt van een vragenlijst of als je een gespreksinstrument wilt hebben om met een jongere over wie je je zorgen maakt in gesprek te raken. Verder kun je hem ook op verzoek van ouders gebruiken als zij zich zorgen maken over hun kind. Het signaleringslijstje is niet valide. Er kan geen waterdichte diagnose mee gesteld worden, maar het geeft snel inzicht in gevoelens en gedachten van de jongeren. Daarna kun je hierover met elkaar in gesprek gaan en onderzoeken welke eventuele passende begeleiding de jongere nodig heeft en ook wil ontvangen. Verder ga ik ervan uit dat de signalen tijdens een leerlingbespreking worden gedeeld en hierover met elkaar van gedachten wordt gewisseld. In veel scholen hebben de leerlingbesprekingen een passende plek in de zorgstructuur gekregen. Alle signalen over de leerlingen komen daar samen en door ervaringen te delen, ontstaat een goed beeld van de leerling. Het is een voorbeeld van een gezamenlijke reflectie op gedrag van leerlingen, maar ook op het delen van zorg.

*De voornaamste taak van de mens is zichzelf
het leven te schenken.*

(Erich Fromm)

Ervaringsverhaal Fatima

Fatima, veertien jaar, zit in 2 vmbo TL. Ze wordt door haar ouders vrij traditioneel opgevoed en moet van haar vader een hoofddoekje dragen. Haar moeder draagt ook een hoofddoek en op het werk pesten collega's haar hier vaak mee. Haar moeder zit hierdoor dikwijls alleen tijdens de pauzes. Ze vertelt dit vaak als ze alleen is met Fatima en zegt dan ook dat ze het liefst geen hoofddoek meer zou willen dragen.

Fatima gedraagt zich op school zo dat ze wel gepest moet worden. Ze doet verlegen en zit vaak alleen. Als andere klasgenoten haar vragen om bij hen te komen zitten, reageert ze meestal niet of agressief in de vorm van 'laat me toch met rust'. Ook in de les is ze bijna onzichtbaar en wil ze het liefst alleen werken. Dit gedrag zorgt er voor dat ze zo langzamerhand onderwerp wordt van pesterijen. Ze reageert hierop door niets te doen. Als haar ouders vragen hoe het op school gaat, zegt ze dat het goed gaat. Ze wil haar moeder namelijk niet lastig vallen, want zij heeft het al moeilijk genoeg. In de klas wordt ze steeds vaker uitgelachen, omdat als ze wel eens antwoord moet geven ze dit vaak zo zacht doet dat niemand haar verstaat of dat ze een raar antwoord geeft dat niets met de vraag te maken heeft.

Op school beschouwen leraren dit als haar eigen schuld. 'Moet je je maar normaal gedragen', zeggen ze. Ze doen er verder niets aan. Fatima wordt steeds stiller, eenzamer en haalt steeds slechtere cijfers, waardoor ze naar 3 kader moet, op een andere locatie van de school. Daar ontmoet ze een mentor die haar ziet en haar serieus neemt en met haar en ook met haar ouders in gesprek gaat. Toen moeder hoorde dat Fatima gepest werd en zij haar ouders daarmee niet lastig wilde vallen, vielen Fatima en haar moeder elkaar huilend in de armen. De mentor heeft ervoor gezorgd dat Fatima in haar nieuwe klas niet gepest wordt en zij en haar ouders begeleiding krijgen.

HOOFDSTUK 3

OUDERS ...

Wat je in het verhaal van Fatima ziet gebeuren noemen we loyaliteit. Fatima laat zich uit loyaliteit naar haar moeder pesten, omdat haar moeder ook gepest wordt en ze draagt net als haar moeder een hoofddoek. Loyaliteit is niet alleen rozengeur, soms is het ook prikkeldraad. Even voor de helderheid: hoe oud je ook bent, je blijft altijd het kind van een stel ouders. En het kind is hier een persoon dat alle leeftijden kan hebben. In dit praktijkgerichte boek kunnen we niet alle contextuele beschouwingen en begrippen beschrijven. Voor een uitgebreide beschrijving van onder andere de contextuele begeleiding, verwijs ik graag naar de twee boeken die ik samen met Klaas Jan Terpstra heb geschreven: *Pubers van nu* (2009) en *Mentor van nu* (2011).

3.1 HET KIND VAN OUDERS

'Wij zullen het wel verkeerd gedaan hebben in de opvoeding van ons kind' of 'Hoe komt het toch dat mijn kind zo gepest wordt?' of 'Is mijn kind de enige die naar een sociale vaardigheidstraining moet?' Dit zijn enkele gedachten in hoofden van veel ouders. In de hoofden van veel kinderen zweven vaak gedachten als: 'Zijn mijn ouders wel goede ouders?' of 'Hoe komt het toch dat ik zoveel problemen heb, terwijl ik thuis meestal prima functioneer?' of 'Ben ik de enige?' Een kind kan vele keuzes maken. Het enige waar een kind niet voor kan kiezen is de band met zijn ouders en de andere familieleden. De verbinding tussen (groot)ouders en kinderen noemt de Amerikaanse kinderpsycholoog Nagy (uit te spreken als Notsch) een *verticale loyaliteit*, ofwel een opeenvolging van generaties. Er bestaat ook een *horizontale loyaliteit*, de verbinding met collega's, vrienden, kennissen en je partner. Binnen deze loyaliteiten is er voortdurend sprake van een wederzijds geven en ontvangen. Voor alle verbindingen, maar in het bijzonder voor de verticale loyaliteit is het een voorwaarde te kunnen geven en ontvangen. Een kind vindt het heerlijk om te ontvangen en groeit als het kan geven. Ouders die van hun kind kunnen ontvangen laten daarmee zien wat hun kind voor hen betekent.

Het geven en ontvangen moeten wel in balans zijn. Dit is meestal wel het geval, maar soms kan deze balans naar één van beide kanten doorslaan.

Wanneer een kind te veel verwend wordt, kan het verstikt raken, doordat het alleen moet ontvangen en niet kan of mag geven. Maar kinderen kunnen soms heel veel moeten geven, wat een ander soort onbalans tot gevolg kan hebben. Daarnaast bouwen ze op deze manier ook geen zelfvertrouwen op. Als kinderen om aandacht en/of erkenning schreeuwen of als ze in situaties komen waarmee ze zich geen raad weten, kan deze onbalans allerlei oorzaken en ook gevolgen hebben, zoals agressie, depressie, pesten of je laten pesten en black-outs. Het is wat mij betreft minder interessant om te kijken wie er schuldig is en die persoon dan schuldig te maken. Mijns inziens is het veel belangrijker om het kind hulp te bieden. Natuurlijk moeten het kind en zijn ouders er wel van overtuigd zijn dat ze het anders willen doen en dat ze allebei kunnen en mogen veranderen. Ouder en kind moeten het wel herkennen en erkennen, en bereid zijn hier samen iets aan te doen, eventueel met hulp van derden.

3.1.1. DE JONGEREN THUIS, OP SCHOOL, IN DE SPORT- OF HOBBYCLUB

Van Dale noemt als één van de betekenissen van de term *loyaliteit*: trouw aan elkaar zijn. Je neemt het dan op voor iedereen met wie je een loyaliteitsband hebt. Als er slecht wordt gesproken over je vriend, voetbalclub of straat voel je, al naargelang die iets voor je betekenen, meer of minder de neiging om daar tegen in te gaan. Hoe meer je verbonden bent met een groep, des te sterker je reageert. Mensen die loyaal zijn worden gewaardeerd. Loyaal zijn is fair zijn, een kwestie van billijkheid, van ethiek zolang dat verantwoord is. Hoe meer mensen iets voor elkaar betekenen, of anders gezegd, hoe groter hun wederzijdse 'verdiensten' zijn, des te sterker en onvoorwaardelijker hun loyaliteit. De band met de mentor of je volleybalcoach is meestal sterker dan de band met een willekeurige docent of coach van wie je bijna geen of helemaal geen les of training krijgt. Het kind heeft zijn bestaan te danken aan zijn ouders, waardoor hij aan hen loyaliteit verschuldigd is. Als ouders een kind op de wereld zetten, maakt het ze verantwoordelijk voor dit kind. Dit alles betekent voor het kind loyaliteit met zijn ouders, het gezinssysteem en de rest van de context. Ouders en kinderen hebben een heel bijzondere band met elkaar. Deze wordt *zijnsloyaliteit* of *existentiële loyaliteit* genoemd. Dit is geen gekozen loyaliteit, maar is gebaseerd op een gemeenschappelijke oorsprong en een gemeenschappelijke erfenis van gezins- en familieleden over de generaties heen.

3.1.2. HET BEGRIP LOYALITEIT

De verbinding tussen (groot)ouders en kinderen wordt een verticale loyaliteit genoemd. Die vorm van loyaliteit krijgt gestalte in de opeenvolgende generaties. Loyaliteit tussen ouders en kinderen is van een bijzondere aard. Immers: een kind dankt zijn bestaan aan zijn ouders. Als ouders een kind krijgen, dan maakt dit hen verantwoordelijk. Ouders zijn de eerst aangewezen verzorgers van wie een kind lange tijd afhankelijk is. Verticale loyaliteit is dus een existentiële loyaliteit, een zijnsloyaliteit. Daarnaast bestaat er ook de horizontale loyaliteit: de verbintenis met alle andere mensen, zoals met broers en zussen en later de partner, vrienden en vriendinnen, collega's en kennissen. Een veel gehoord gezegde is: 'Hoe slechter de ouder, hoe loyaler het kind.' Dat is misschien de reden dat het vaak lang duurt voordat een kind aangifte doet van mishandeling binnen het gezin. Dikwijls wordt er zelfs helemaal geen aangifte gedaan of wordt de aangifte vlak voor een rechtszitting weer ingetrokken. Dit doet een kind vaak uit loyaliteit: voor een kind is het namelijk niet te verteren dat het een slechte ouder heeft. Om diezelfde reden kan een jongere uit loyaliteit naar de ouders begeleiding weigeren of de begeleiding onbewust saboteren om de tekortkoming van de eigen ouders niet te hoeven erkennen. De band tussen ouder en kind is zo sterk dat zelfs als ouders en kind elkaar niet meer willen zien deze nooit definitief kan worden doorgesneden. Je kunt nooit zeggen: 'Je bent mijn ex-vader' of 'Je bent mijn ex-kind.' Ook de manier waarop je door je ouders bent gesocialiseerd, draag je altijd met je mee. Loyaliteit kan ook negatief werken. Bijvoorbeeld als het in de relatie tussen de ouders niet zo lekker gaat en het kind zijn negatieve gedrag – waarvan ik enkele vormen hierboven heb beschreven – als wapen gaat inzetten om de ouders weer bij elkaar te krijgen. Ouders moeten er samen energie in stoppen om voor het kind alles weer op de rails te krijgen en hebben dan geen energie meer om onderling ruzie te maken. Nagy noemt dit bijvoorbeeld de *eenmakende zorg*. Ik kom hier later in dit hoofdstuk op terug.

De loyaliteit van een kind kan zelfs zover gaan dat hij de nadelen op de koop toe neemt. Dit doet het kind door zich bijvoorbeeld negatief te gaan gedragen, omdat zijn ouders dit ook doen. Of hij wil geen begeleiding omdat hij dan beter wordt dan zijn ouders en hij daardoor deloyaal wordt tegenover zijn ouders. Sterker nog, loyaliteit zorgt ervoor dat het kind bij het maken van keuzes altijd de stem van zijn ouders volgt. Kinderen denken vaak dat hun ouders tekortgeschoten zijn in de opvoeding. Door niet in begeleiding te gaan of tijdens verplichte begeleiding niet te veranderen, hoeven ze dit niet te erkennen. Bij ouders van wie de jeugd op een of andere manier verstoord is geweest, werkt dit door in hun eigen ouderschap. Op die manier zijn zij loyaal aan hun ouders. Soms wordt de rol juist anders (tegengesteld) vervuld. Ook dan zijn ze volgens Nagy superloyaal: als het daardoor dan slecht gaat met hun kind, zijn zij hier schuldig aan en niet hun ouders. Ouders klagen dat hun rol vaak wordt onderschat.

Ouders zijn betrokken bij het ontstaan en de aanpak van het gedrag van hun kind. Ook zij lijden onder het probleem van hun kind en hebben er vaak last van. De band tussen ouders en kind is zo sterk dat begeleiding van het kind zonder medewerking en toestemming van de ouders eigenlijk niet mogelijk is. Nu wordt langzaam duidelijker dat het – ook vanuit loyaliteitsoogpunt – van essentieel belang is dat je als mentor, trainer, coach of begeleider niets zonder de ouders kunt bereiken in de begeleiding van hun kind. Daarom zul je moeten onderzoeken hoe je ouders binnen de begeleiding en het opzetten van preventie tegen pesten kunt betrekken. Anders is deze bijna altijd gedoemd te mislukken. Ouders bij de begeleiding van hun kind betrekken begint bijvoorbeeld met hen te informeren hoe het thema pesten binnen school, instelling of (sport)vereniging aandacht krijgt en dat het daar op de agenda staat en hoe daarbij ook ouders worden betrokken. Verder moet je laten zien dat je hen als bondgenoten ziet en serieus neemt. Dit zal de motivatie en de verbinding van het kind en zijn ouders zeer zeker vergroten. Op deze wijze laten de ouders zien dat de school, instelling of (sport)vereniging te vertrouwen is en dat zij hem op deze wijze toestemming geven om eventueel te veranderen. Hierdoor geven zij hun kind (indirect) toestemming het anders te doen dan zijn ouders en zelfs deloyaal te mogen zijn.

3.1.3 MEERZIJDIGE PARTIJDIGHEID

Voor een leraar, mentor, coach, begeleider is het belangrijk dat hij meerzijdig partijdig is. Dit is geen vaardigheid maar een attitude, een grondhouding. Je bent vóór de een, maar niet tegen de ander. Dit is dus wat anders dan neutraal zijn. Je gaat samen op zoek naar oplossingen waarbinnen je probeert alle belangen te behartigen, ook die van de afwezigen. Je laat iedereen in zijn waarde. Het is niet aan de begeleider om voorkeur of afkeur uit te spreken over iemand uit de context van de jongere. Wanneer je als begeleider niet meerzijdig partijdig kunt zijn, dan heeft dit grote invloed op de verbinding tussen de jongere en zijn ouders, wat weer een invloed heeft op het effect van de begeleiding.

3.2 DE DYNAMISCHE DRIEHOEK

Bij het opvoeden van kinderen naar betekenisvolle volwassenen is het van
groot belang dat ouders, de school, instelling of (sport)vereniging of eventuele begeleidende instanties nauw met elkaar samenwerken. Hierin heeft
en neemt ieder zijn eigen verantwoordelijkheid. Dit beschouwen wij als
een heilig principe. Ik merk echter dat dit in de praktijk niet altijd zo van-
zelfsprekend is. Onder 'begeleidende instanties' versta ik diverse bureaus
voor jeugdhulpverlening, politie, justitie, reclassering en dergelijke. Soms
heb je het gevoel dat de opvoeding, die de school, instelling, (sport)vereni-
ging of de begeleidende instantie met veel moeite geeft, thuis teniet wordt
gedaan. Meestal door schade en schande wijs geworden, weet je verder dat
je nooit aan de jongere je frustraties over zijn ouders mag laten blijken,
maar dat is niet altijd even gemakkelijk. De jongere vertelt jou vaak wel
klachten over zijn ouders, maar doe jij hetzelfde, dan wordt dit niet geaccepteerd.

Ouders vertrouwen hun kind aan ons toe voor onderwijs, begeleiding of
hobby (dit is een gedelegeerde verantwoordelijkheid), maar sommige ouders lijken alleen maar onze tegenstanders te zijn. Als de verantwoordelijkheid van de school, instelling of (sport)vereniging en ouders op één lijn liggen, krijgt de jongere echt de kans zich te ontwikkelen. Maar hoe doe je dat
dan? Hoe geef je vorm aan deze gedeelde verantwoordelijkheid, hoe kun je
thuis en daarbuiten op elkaar afstemmen? De verhoudingen van de drie
partijen worden weergegeven in een driehoek, waarbij de drie partijen in
de hoekpunten staan en we de zijden als contacten communicatielijnen beschouwen. Binnen deze driehoek vinden vele processen plaats die het leven sterk beïnvloeden en waardoor de jongere de kans krijgt om te groeien.
We spreken van een *dynamische* driehoek omdat de driehoek continu in beweging is. De ouders zijn gedwongen zich in meerdere opzichten aan de
school, instelling of (sport)vereniging en/of de begeleidende instanties aan
te passen. Dat betekent dat zij zo veel mogelijk rekening moeten houden
met de eigen verantwoordelijkheid en die van de ouders.

We tekenen de driehoek hier als een gelijkzijdige driehoek. Er is sprake van
een gelijkzijdige driehoek als er een evenwichtige situatie bestaat, waarbinnen de jongere ruimte heeft zich optimaal en maximaal te ontwikkelen. De
ruimte biedt veiligheid, geborgenheid, uitdaging, avontuur en zelfstandigheid. Wanneer de onderlinge verhoudingen veranderen, dan gebeurt er
iets met de zijden van de driehoek en zo ook met de groei- en ontwikkelruimte.

Bijvoorbeeld: als de verhouding tussen de ouders en de jongere niet gewel-

dig is, dan zal dit van invloed zijn op de verhouding tussen de jongere en
zijn school, instelling of (sport)vereniging en/of de begeleidende instanties en die tussen de ouders de school, instelling of (sport)vereniging en/of
de begeleidende instanties. Dit heeft dan weer een invloed op de groei- en
ontwikkelruimte van de jongere. Het is voor de school, instelling of
(sport)vereniging en de begeleidende instanties van groot belang te weten
hoe de verhoudingen zijn. Je kunt dit te weten komen door het te onderzoeken tijdens gesprekken met de jongere. Vervolgens kan er besloten worden
of (en welke) begeleiding voor deze jongere en zijn ouders passend zou
zijn.

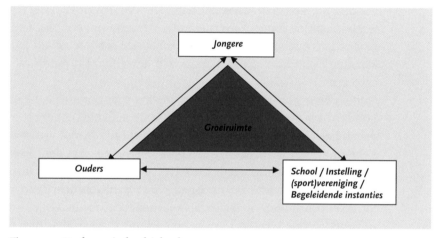

Figuur 3.1. **De dynamische driehoek**

3.3 BALANS TUSSEN GEVEN EN ONTVANGEN,
GROEI EN ONTWIKKELING

Het hele leven van ouders en kinderen staat in het teken van wederzijds geven en ontvangen. Een kind vindt het fantastisch om te ontvangen en
groeit door te kunnen geven. Door als ouder van je kind te ontvangen, laat
je aan je kind zien wat hij voor je betekent en dat vergroot de zelfwaarde,
het zelfvertrouwen en de zelfafbakening van een kind. De relatie tussen
ouder en kind is meestal in balans. Een verstoring in de balans heeft meestal voor beide kanten gevolgen. Kinderen die veel moeten ontvangen (bijvoorbeeld doordat ze erg verwend worden) raken verstikt, waardoor hun
zelfwaarde, zelfvertrouwen en zelfafbakening in het gedrang kunnen komen. Dit alles is een voedingsbodem voor sociaal onhandig, negatief, en

vaak grensoverschrijdend (pest)gedrag of gedrag waardoor je gepest wordt. Dit kan ook het geval zijn bij kinderen die veel (moeten) geven in de relatie met hun ouders en die hiervoor geen erkenning krijgen: geëxploiteerde kinderen. Als het geven van een kind niet gezien wordt, kan het kind het gevoel krijgen dat het er niet toe doet, dat het niet de moeite waard is. Hierdoor ontstaat een gebrek aan zelfwaardering en/of zelfafbakening, waardoor het kind slecht voor zichzelf opkomt. Jongeren die verwachten dat zij alle uitdagingen niet goed te baas kunnen, ontwikkelen een negatief zelfbeeld. Het gevolg daarvan is dat zij zich onhandiger gaan gedragen, zich terugtrekken, gaan pesten en dergelijke.

De eerste stap om de negatieve spiraal naar steeds minder zelfvertrouwen en een steeds negatiever zelfbeeld te doorbreken, is om jongeren erkenning te geven. Erkenning voor de manier waarop zij hun situatie ervaren, voor wat ze moeilijk vinden, waar ze tegenop zien et cetera. De volgende stap is om samen met de jongere te zoeken naar wat hij in bepaalde situaties wel kan. Op die manier kan hij positieve ervaringen opdoen en nieuwe vaardigheden ontwikkelen. Positieve feedback op deze ervaringen en steun en waardering kunnen hem helpen zijn verwachtingen over zichzelf positiever in te schatten en zo een positiever zelfbeeld te ontwikkelen en daarmee meer zelfvertrouwen. Jongeren kunnen dan gaandeweg ervaren dat zij iets kunnen en ertoe doen.

Het leerproces dat mensen doorlopen om zich potentiële vermogens en kwaliteiten werkelijk toe te eigenen en op basis daarvan vaardigheden te ontwikkelen en deze te leren toepassen in moeilijke situaties, noemen we *zelfvalidatie*. Zelfvalidatie maakt een mens weerbaar, meer zelfbewust. Hij beseft dan steeds meer welke invloed hij kan uitoefenen op de manier waarop hij moeilijke situaties tegemoet treedt.

Symbiose is volgens Van Dale een relatie of samenleven van twee organismen met wederzijds voordeel. Als het kind opgroeit in het lichaam van de moeder, heeft het met zijn moeder een sterke symbiotische relatie die veelal de eerste maanden na de geboorte blijft bestaan. Moeder en kind hebben in deze periode vaak dezelfde emoties. Moeder weet wanneer een kind huilt, ook al hoort ze het kind niet en het kind ervaart de (on)rust van de moeder. Deze symbiotische relatie is van groot belang om zich later aan anderen te kunnen hechten. Het biedt de basis voor het kind om het opgebouwde vertrouwen met de moeder te verbreden naar anderen, bijvoorbeeld naar de vader. Het kind moet langzaam loskomen van de ouder om verder te groeien tot betekenisvolle volwassene. Als kinderen te vroeg worden losgelaten of te lang worden vastgehouden, dan kunnen zij problemen krijgen in de ontwikkeling naar zelfstandigheid.

Sommige ouders hebben moeite hun kind los te laten, vaak omdat ze in hun eigen jeugd te vroeg zijn losgelaten of te lang zijn vastgehouden en nu uit loyaliteit hun kind ook niet los kunnen laten. Voor ouders die zelf moeite hebben om zelfstandig in het leven te staan of het leven niet nemen zoals het is en er niet van kunnen genieten, wordt hun kind vaak de zin van hun bestaan. Verder zie je nogal eens dat ouders die bij hun partner niet de intimiteit ervaren die ze wensen, die bij het kind gaan zoeken. Een boodschap die het kind dan van zijn ouder(s) gaat ervaren is: 'Jij bent een belangrijk onderdeel in mijn leven, blijf altijd dicht bij mij.' Vooral jongste kinderen ervaren deze boodschap, soms ook zonder dat deze naar hen gecommuniceerd is. Deze ongezonde compensatie kan in de ontwikkeling blokkerend werken voor ouder en kind.

Er zijn ook ouders die zulke goede opvoeders willen zijn dat zij hun hele leven op het kind richten, waardoor het kind een groot risico loopt in onbalans te komen: onbalans tussen geven en ontvangen. Als de loyaliteit tussen ouders en kind overbelast is, gaat dit meestal ten koste van de ontwikkeling van het kind. En toch is het kind telkens weer geneigd meer te geven dan te ontvangen of andersom. Ieder kind wordt niet alleen ontvangend maar ook gevend geboren. Voor het kind is geven een groeivoorwaarde. Kinderen die te veel krijgen kunnen zich vaak niet afbakenen en passen zich daardoor aan een ander aan, waarbij hun mening of ervaring er niet toe doet. Kinderen die niet mogen geven zullen altijd het gevoel hebben in het krijt te staan. Kinderen die geen erkenning krijgen voor hun geven zullen zich uiteindelijk leeg geven ('burn-out'). Zo lopen hun zelfvalidatie en zelfvertrouwen een nog grotere deuk op, waardoor zij in een vicieuze cirkel terechtkomen. Anderen moeten het vaak voor hen opknappen. Daarnaast zijn dergelijke kinderen erg afhankelijk van de goedkeuring van anderen.

In de contextuele taal noemen we de hierboven beschreven voorbeelden *parentificatie*. Die ontstaat als het kind van de ouders een rol toebedeeld krijgt en aanvaardt, waardoor de eigen ontwikkeling en groei beperkt worden. Parentificatie hoeft niet altijd destructief te zijn. Als het kind erkenning krijgt voor zijn geven en als het geven past bij zijn leeftijd, dan is parentificatie constructief. Dat gebeurt onder meer als het kind de rol krijgt van mede- of hulpouder (zorg voor gezin en huishouden) of als hij zich ouder dan wel jonger gaat (of moet gaan) gedragen. Voor de verschillende vormen van parentificatie met oorzaak en gevolg verwijs ik opnieuw graag naar *Pubers van nu* (2009) en *Mentor van nu* (2011).

Onrecht en de roulerende rekening

Jongeren maken bijna dagelijks mee dat hun loyaliteit onder druk komt te staan. Ze moeten een keuze maken tussen iets *met* of *voor* de een doen of *met* of *voor* de ander. Dit leidt tot dilemma's en vaak tot conflicten. Daarom proberen we een evenwicht in relaties in stand te houden en zeker bij loyaliteitsdilemma's de balans goed in de gaten te houden. Wanneer elke keer dezelfde persoon toegeeft, dan zal dit de relatie uithollen en tot conflicten en uiteindelijk breuken leiden. We moeten dus steeds keuzes maken die of de ene of de andere (loyaliteits)band onder druk zetten. Ofwel: als je de ene liever hebt dan de ander, dan creëer je spanning in de loyaliteit met beiden. Een ander, hiermee samenhangend begrip is dat van *gespleten* en *onzichtbare loyaliteit*. Gespleten loyaliteit ontstaat als een kind het gevoel heeft te moeten kiezen tussen beide ouders met het idee 'Als ik vader kies, raak ik moeder kwijt' en andersom. Zoals wanneer de ene ouder zegt: 'Kies voor mij en niet voor die (slechte) andere ouder!' En dat dit niet eenmalig is, maar een vast patroon of een definitieve keuze. Het gaat dan niet om zomaar kiezen. Nee, het is kiezen tussen existentiële loyaliteiten. Dat kan geen enkel kind. Als hij namelijk een van beiden ontkent, ontkent hij de helft van zichzelf. Dit geldt net zoals je aan een vader vraagt: 'Van wie van je kinderen hou je het meest?' Hiermee raak je de kern van goed vaderschap. Natuurlijk kan iemand zeggen: 'Ik doe dit liever met mijn vader dan met mijn moeder' of 'Ik kan beter met mijn oudste zoon praten dan met mijn andere kinderen.' Dat is niets bijzonders.

Het begrip gespleten loyaliteit steekt de kop op wanneer ouders bijvoorbeeld gaan scheiden of als een van de ouders is overleden en de nieuwe partner – vaak met de beste bedoelingen – koste wat kost de plek van de overledene wil innemen. Niet kunnen kiezen vergiftigt vaak de zelfstandigheid van de jongere. *Kiezen* is namelijk voor hem vrijwel altijd *verliezen* geworden. Een jongere die vaak twijfelt en niet kan kiezen kan bij een begeleider een lampje doen branden: hier zou wel eens sprake kunnen zijn van gespleten loyaliteit. Het is van belang de jongere te laten inzien dat het geen keuze was die hij *moest* maken en hem te helpen om te leren kiezen en zijn eigen weg te gaan. Grootouders kunnen hier vaak een verbindende rol spelen. Aan elke oplossing zit een prijs die meestal het kind moet betalen. Je ziet vaak dat het kind bijvoorbeeld de school de prijs (voor onrecht) laat betalen. Gespleten loyaliteit is nauwelijks volledig oplosbaar. Het is lastig er bewust mee te leven. Vaak is de jongere daardoor geneigd het te negeren. Meestal gaat de loyaliteit dan 'ondergronds'. De jongere laat bijvoorbeeld de ene ouder de prijs betalen door de hobby van de andere ouder op te pakken waar die ene ouder een gruwelijke hekel aan had. Hiermee zegt hij tegen de tijdelijk afwezige ouder: 'Ik hou ook van jou.' Dit laatste noemen we onzichtbare loyaliteit.

Reacties op ervaren onrecht & de roulerende rekening

Wanneer een kind in een situatie van onbalans tussen geven en ontvangen terecht is gekomen, is er sprake van onrecht. Een kind kan bewust of onbewust de situatie thuis als onrecht ervaren. Bijvoorbeeld wanneer ouders in hun eigen jeugd een dergelijke onbalans (bijvoorbeeld moeder is in haar jeugd erg gepest) en het daarmee gepaard gaande onrecht hebben ervaren, kan dit doorwerken in de opvoeding van hun eigen kind. Of als een kind zich uit loyaliteit laat pesten dan wordt dit vaak niet als een gevende daad gezien en zal het kind er dus ook geen erkenning voor krijgen en de onbalans is geboren. Het kind zal dit als onrecht ervaren en hier naar handelen. Daardoor ontstaan bijvoorbeeld de verschillende vormen van parentificatie zoals hierboven zijn beschreven. Ouders kunnen bewust of onbewust het onrecht dat hen door hun eigen ouders is aangedaan, vereffenen met hun kinderen of met hun partner. In dat laatste geval kan een kind in een situatie van gespleten loyaliteit terechtkomen.

In al deze situaties krijgt een kind de rekening doorgeschoven van een vorige generatie. We spreken dan van een roulerende rekening. Iemand die een roulerende rekening krijgt toebedeeld, is destructief gerechtigd. Het is te gemakkelijk om daarmee een roulerende rekening als de oorzaak te zien van allerlei vormen van ongewenst destructief gedrag. Of door de ouders de schuld te geven van het destructieve gedrag dat hun kinderen op school vertonen. Bovendien, als het gedrag van kinderen mede de schuld is van de manier van opvoeden van hun ouders, dan kunnen wij deze redenering ook toepassen op hun docenten/mentoren en begeleiders. De ouders van deze ouders (de grootouders dus) of de ouders van de docenten/mentoren, zijn op hun beurt dan weer schuldig aan het ongewenste of schadelijke gedrag dat de jongeren vertonen. Het op die manier doorschuiven van een schuld houdt het systeem van roulerende rekeningen in stand en maakt mensen slechts slachtoffer: 'Ik kan er niets aan doen dat ik ben zoals ik ben. Het zit in mijn karakter. Het komt door mijn genen en mijn opvoeding.'

Naar mijn mening is het niet zo belangrijk om de precieze oorzaak te weten van of een verklaring te geven voor de herkomst van bepaald gedrag. Wat ik belangrijker vind, is dat mensen altijd invloed hebben op hun gedrag, zodat jongeren de mogelijkheid krijgen hun gedrag te veranderen of nieuw gedrag te ontwikkelen.

3.4 BOODSCHAPPEN UIT HET NEST

Als kind krijg je vele opdrachten van je opvoeders. Omdat kinderen, evenals volwassenen, het prettig vinden om aardig gevonden te worden, proberen ze regelmatig de opdrachten uit te voeren. Op zich is dit niet moeilijk,
je moet gewoon doen wat je gevraagd wordt. Vaak is het ook echt geen probleem om aan die opdrachten te voldoen ('Maak je voetbalschoenen
schoon', 'Ruim je kamer op', 'Zet je fiets in de schuur', 'Doe je huiswerk',
'Was je handen', 'Poets je tanden'). Niet alle opdrachten en taken zijn even
leuk, maar als je ze uitvoert, kun je achteraf wel zeggen dat je ze tot een
goed einde hebt gebracht.

Opdrachten uit je gezin van herkomst

Helaas is dat niet bij alle opdrachten zo gemakkelijk. Wat moet je immers
met opdrachten als: 'Doe je best', 'Schiet eens op', 'Flink zijn'? Je moet je
dan afvragen: 'Wanneer heb ik mijn best gedaan?', 'Wanneer ben ik opge-
schoten?', 'Wanneer ben ik flink geweest?' Veel kinderen geven zelf de invulling of krijgen die van hun opvoeders. Je hebt je best gedaan wanneer je
overgaat, je bent flink als je bij de tandarts niet huilt. Als een kind twijfelt
over zijn antwoorden, zal hij zich onzeker voelen, omdat hij niet precies
weet wanneer het aan de opdracht heeft voldaan. Zoals eerder werd beschreven, valt iedereen in een stressvolle situatie terug op instinctief gedrag, omdat de frontale cortex onder invloed van adrenaline minder goed
functioneert. Dan valt iemand terug op de basisopdrachten die hij als klein
kind van zijn opvoeders ontving. Een jongere in nood doet bijvoorbeeld tijdens een feest, een kamp, een uitvoering, tijdens een presentie/repetitie,
een promotiewedstrijd of vlak voor zijn (rij)examen een beroep op wat hij
zijn leven lang heeft geleerd, dat wil zeggen op de basisopdrachten uit zijn
nest. Als deze basisopdrachten voor het kind eigenlijk onmogelijk uitvoer-
baar waren, dan heeft dat tot gevolg dat hij daardoor, vooral in stressvolle situaties, niet tot effectief gedrag komt of zelfs blokkeert. Dat tast het zelfvertrouwen aan, waardoor in vergelijkbare situaties de stress nog verder
toeneemt. Hieronder bespreken we de vijf belangrijkste onmogelijke basisopdrachten.

I. Doe je uiterste best!
Een jongere die deze opdracht heeft meegekregen zal permanent, en zeker
in stressvolle situaties, keihard werken, zijn uiterste best doen, ook als het
resultaat nauwelijks van belang is. In die situaties kan hij dan ook niet nagaan wat het resultaat is van zijn inspanning. Jongeren die altijd hard

werken en vaak niet weten of ze echt succesvol zijn, ervaren dat succes dus ook niet en missen vaak de voldoening: 'Ik heb dan wel hard gewerkt, maar waarvoor?'

II. Doe me een plezier!

Jongeren die vanuit deze opdracht aan de slag gaan, zien wat volgt als hun belangrijkste taak in het leven: anderen tevreden stellen, anderen niet teleurstellen of kwaad maken. Dit is een prachtig streefdoel en juist daarom is het hoe dan ook onmogelijk: je kunt niet iedereen in de wereld een genoegen doen zonder jezelf volkomen weg te cijferen. Jongeren voor wie deze boodschap belangrijk is geworden, hebben vooral last om grenzen aan te geven en voor zichzelf op te komen. Zij kunnen gemakkelijk een pestobject worden.

III. Wees sterk!

Jacques Herp had – zo denk ik – deze opdracht ook vaak gehoord toen hij het lied 'Een man mag niet huilen, als een ander het ziet. Een man mag niet huilen, zelfs bij het grootste verdriet', componeerde. Jongeren die altijd, zelfs onder de grootste druk, sterk en flink moeten zijn, tonen meestal geen emotie. Als ze emotie voelen, verbergen ze die zo goed mogelijk, bijvoorbeeld door snel over iets anders te beginnen, of door heel hard en veel te gaan werken. Wanneer je er ervaren in bent geworden, kun je zelfs als een koele kikker overkomen tijdens bijvoorbeeld de crematie van je vader. Op dat moment ben je zo druk met het wegstoppen van je emoties dat het beetje denkvermogen dat je dan nog rest precies daaraan wordt opgeofferd. Het wegstoppen van emoties kan zich vertalen in lichamelijke klachten omdat het teveel aan (nor)adrenaline lang in het lichaam achterblijft. Regelmatig voorkomende klachten bij deze leerlingen zijn hoofdpijn, buikpijn, een stijve nek of rugklachten. Weggestopte emoties kunnen zich ook vertalen in een kort lontje, pesten, grensoverschrijdend gedrag, alcohol- en drugsmisbruik of in te hard rijden. Omdat de herkomst van dit gedrag voor deze 'sterke' jongeren zelf vaak niet duidelijk is, ervaren ze zichzelf vaak als mislukt.

IV. Schiet op!

Of 'opzij, opzij' zoals Herman van Veen in zijn lied zingt.

*Opzij, opzij, opzij, maak plaats, maak plaats, maak plaats, wij hebben ongelooflijke
haast. Want wij zijn haast te laat, opzij, opzij, opzij, wij hebben maar een paar minuten tijd. We moeten rennen, springen, vliegen, duiken, vallen, opstaan en weer
doorgaan. We kunnen nu niet blijven, we kunnen nu niet langer blijven staan.*

Jongeren die altijd willen/moeten opschieten komen uiteindelijk vaak nergens aan toe. Ze zijn altijd op weg naar het volgende. Ze beginnen dikwijls
al aan de volgende opdracht als de vorige nog niet af is. Meestal hebben ze
van alles tegelijk onder handen. Ze komen vaak rusteloos over en hebben
meermaals moeite zich op een taak te concentreren. In hun haast maken
ze veel fouten en komen ze niet toe aan rust. Als ze ergens aan willen beginnen, wordt de meeste spanning veroorzaakt door de vraag of ze het wel
op tijd klaar krijgen. Terugkijken en dan plezier of succes ervaren over de
afgeronde taak doen ze niet, omdat ze dan misschien te laat zijn voor hun
volgende taak. Veel jongeren staan permanent onder stress, ze komen
steeds vaker in tijdnood. Zo stellen ze steeds hogere eisen aan zichzelf, en
ook hun omgeving verwacht steeds meer van hen. Dikwijls scheppen ze
ook verwachtingen bij hun omgeving, die ze door tijdnood niet waar kunnen maken. De omgeving kan dit als erg onprettig ervaren en deze jongeren gaan mijden of negeren.

V. Wees perfect!
Als een kind de indruk krijgt geen fouten te mogen maken, wanneer het
nooit goed genoeg is wat hij doet, kan het alsnog proberen te voldoen aan
de onmogelijke opdracht 'Wees perfect'. Die indruk kan bijvoorbeeld ontstaan wanneer een vader het overgangsrapport van zijn zoon ziet. Daarop
staat één zes en verder bevat het allemaal hogere cijfers. Toch zegt de vader
tegen zijn zoon: 'Jammer van die ene zes op je rapport.' Omdat zij perfecte
kinderen willen afleveren, wijzen deze opvoeders op ieder foutje. Het zijn
soms net meesters en juffen die alleen met het rode potlood werken, en
daarmee alles wat niet helemaal goed is aanstrepen. Dit leidt vaak tot irritaties wat weer tot pesten kan leiden. De opdracht 'Wees perfect' ontstaat ook
als er bij elk foutje veel aandacht wordt besteed aan wat er verbeterd moet
worden, maar er weinig aandacht is voor wat er wel goed is gegaan. Ook als
volwassenen hun eigen fouten uitvergroten en complimenten over wat ze
goed hebben gedaan wegwuiven of bagatelliseren, geven ze daarmee hun
kinderen een voorbeeld van de opdracht 'Wees perfect'.
Wie als jongere deze opdracht veel heeft gehoord en ervaren, zal niet snel

veel taken op zich nemen. Het is immers bijna onmogelijk om al deze taken perfect uit te voeren. Faalangst is dan geboren. Als ze dan echt niet meer onder een taak uit kunnen, hebben ze vaak klamme handen, krijgen ze last van hyperventilatie, stress of iets dergelijks, omdat ze vrijwel zeker weten dat het ook nu weer niet volledig perfect zal zijn. Ze kunnen dikwijls moeilijk improviseren en komen daardoor herhaaldelijk als weinig of niet flexibel over.

3.5 MOGELIJKHEDEN OM TE BEGELEIDEN

Iedereen heeft deze opdrachten in meerdere of mindere mate uit zijn nest meegekregen of zo verstaan. En bijna iedereen geeft ze vaak, uit trouw (loyaliteit) in meerdere of mindere mate door aan zijn kinderen. Om die reden is het voor een begeleider belangrijk om samen met de jongeren te onderzoeken wat er met hen gebeurt op momenten van stress. Welke gedachten komen er dan bij hen op? Dit alles om hen vervolgens te helpen, opdat ze zich ervan bewust worden dat dit meestal onmogelijke opdrachten zijn. Als ze ervaren dat hun ouders last hebben met dezelfde opdrachten, dan is dat vaak een hele opluchting. En wanneer ze zich gaan realiseren dat ze niet aan deze opdrachten *hoeven* te voldoen omdat ze er niet aan *kunnen* voldoen, dan kan hen dat helpen te onderzoeken waar voor hen de grenzen liggen. Dat kan door hen bijvoorbeeld te vragen wat er zou kunnen gebeuren als zij zich niet aan hun onmogelijke opdracht houden. Wat gebeurt er als je eens een fout maakt, of als je eens een keer met iemand ruzie maakt? Vergaat de wereld als je je werk niet op tijd af hebt? Maken ze misbruik van je als je je gevoelens eens laat zien? Ten slotte kun je als mentor, coach of begeleider aan de jongere voorstellen deze vragen aan zijn ouders voor te leggen en met hen over de onmogelijke opdrachten te praten. Stel je voor dat zijn ouders vertellen dat het allemaal wel mee zal vallen en dat niemand eraan doodgaat ... Dat zou toch fantastisch zijn. Als onmogelijke opdrachten sterk gekoppeld zijn geraakt aan de balans van geven en ontvangen of aan roulerende rekeningen, dan is begeleiding met het schema van onrecht meestal nodig. Het werken met de vijf stappen van dit schema beschrijf ik in paragraaf 5.6.

Mentoren/coaches/begeleiders hebben zelf ook te maken met onmogelijke opdrachten uit hun eigen gezin van herkomst. Deze opdrachten kunnen de manier beïnvloeden waarop zij hun jongeren (willen) begeleiden. Om de invloed van de opdrachten uit je eigen nest te onderzoeken, kan de volgende oefening je helpen.

Oefening om als mentor/coach/begeleider de opdrachten uit je eigen nest te onderzoeken

o Hoe werd er bij jou thuis omgegaan met het maken van fouten? Hoe werd er op je gereageerd als je iets fout deed? Vertelden je ouders alleen hun successen of vertelden ze ook hun mislukkingen en de dingen die ze moeilijk vonden? Hoe ga jij daar zelf op dit moment in je leven mee om? Hoe perfect moet je zijn? Wanneer ben je als mentor, coach of begeleider of als ouders zelf goed genoeg?

o Hoe werd er bij jou thuis omgegaan met het maken van ruzie? Wat was jouw rol of wat was je geneigd te doen of te laten als anderen in jullie gezin ruzie kregen? Welke overeenkomst zie je met de manier waarop je nu met conflicten in groepen omgaat?

o Op welke manier werd je geacht 'je best te doen'? Wanneer had je voldoende je best gedaan? Wat gebeurde er als je dat niet voldoende had gedaan? Hoe ga jij daar zelf op dit moment in je leven mee om?

o Hoe kon jij je ouders een plezier doen? Hoe reageerden ze dan? Wat gebeurde er als je merkte dat jij je ouders ergens (g)een plezier mee deed? Op welke manier ben je geneigd de jongeren of je collega's een plezier te doen? Welke overeenkomst zie je daarin met wat je van huis uit hebt meegekregen? Wat ervaar je als je merkt dat je een ander (g)een plezier doet en wat ben je dan geneigd te gaan doen of laten?

o Welk voorbeeld heb je gehad ten aanzien van je werkhouding? Moest je altijd opschieten of waren er ook momenten van rust? Wanneer was het tijd om te stoppen met werken? Hoe werd er gereageerd op resultaten die je behaald had? Wanneer kreeg je te horen dat je meer had kunnen doen? Wanneer had je genoeg gedaan? Hoe ga je daar nu mee om in je werk als mentor, coach of begeleider?

o In welke situaties werd er bij jou thuis reactief dan wel proactief opgetreden?

Een informatiebijeenkomst over pesten voor de ouders van jouw mentorklas/team/groep

In de uitnodiging aan ouders van een informatiebijeenkomst over pesten is belangrijker dan datum, tijdstip en plaats wat er die avond besproken wordt en wat het doel ervan is. Wanneer dit op de juiste wijze wordt beschreven, krijgen ouders minder het gevoel dat zij schuldig zijn aan het feit dat hun kind gepest wordt of aan het pesten is of zich sociaal onhandig gedraagt. Verder ervaren ze op die manier dat hun kind geen uitzondering is of een afwijking heeft, of dat de school ze gaat vertellen hoe zij hun kind moeten opvoeden, omdat ze dat blijkbaar niet kunnen. Natuurlijk staat dit niet zwart op wit, maar ouders lezen dit vaak wel tussen de regels door. Door de uitnodiging eens met een 'ouderbril' te lezen, kun je misverstanden voorkomen (een voorbeeld van zo'n uitnodigingsbrief vind je in de bijlagen).

Een informatiebijeenkomst ziet er bij mij als volgt uit. Nadat ik de ouders welkom heb geheten, is mijn eerste zin steeds: 'Fijn dat u er bent, want zonder u kunnen wij helemaal niks; wij hebben u hard nodig.' Veel ouders slaken dan vaak al een zucht van verlichting en de eventuele weerstand verdwijnt als sneeuw voor de zon. Verder hebben we het erover dat een jongere op zoek moet naar grenzen en nieuw gedrag. Hij is hier, als het ware, 'DNA op geprogrammeerd'. De ene jongere doet dat wat handiger dan de andere en de ene jongere heeft wat meer zelfvertrouwen ontwikkeld dan de andere. Verder laten wij de ouders altijd proeven dat zij niet schuldig zijn aan het gedrag van hun kind, maar dat ze wel verantwoordelijk zijn om er wat mee te doen.

Ik begin meestal met een oefening uit de mentor/themabijeenkomst, waarna het ijs gebroken is en waardoor ouders ervaren hoe ik met hun kind aan de slag ga en wat hun kind kan verwachten. Verder geef ik wat informatie over wat plagen, treiteren en pesten is en wat de visie en aanpak van de school, sportvereniging, enzovoort is. Daarnaast vertel ik de ouders dat plagen en pesten in alle lagen van de bevolking voorkomen en dat beide in de huidige maatschappij – waar steeds minder complimenten worden gegeven – steeds meer voorkomen omdat jongeren steeds meer een gevoel van onzekerheid ervaren. Verder vraag ik de ouders om tijdens de bijeenkomst hun eigen ervaringen en die van hun kind te vertellen. Daarna doe ik nog een oefening en dan is het vaak al tien uur, tijd om met een vragenrondje af te ronden. Ik merk dat ouders bijna altijd met een goed gevoel naar huis gaan. Ze hebben ervaren dat we samen verantwoordelijk zijn voor de groei en ontwikkeling van hun kind. Van de jongeren hoor ik vaak de volgende dag dat hun ouders het erg naar hun zin hebben gehad en dat ze vaak uitzien naar een volgende bijeenkomst. Als je op deze wijze met ouders omgaat en hen serieus neemt, dan – zo heb ik kunnen vaststellen – verhoogt dit de veiligheid in de groep en is het rendement erg hoog. Zo werk je met ouders als bondgenoten en niet als vijanden of tegenstanders. Pas dan is het mogelijk dat de jongere – zonder dat deze in een loyaliteitsconflict terechtkomt – kan en mag veranderen.

Voorbij de verwachting gebeurt het.

(auteur onbekend)

Ervaringsverhaal Jill

Jill is een licht autistisch meisje dat zich vaak als een gothic kleedt. Zij lijkt een beetje in haar eigen wereldje te leven van trollen, demonen en dergelijke. In de echte wereld is zij dagelijks het doelwit van pesterijen. Wat haar leven tot een hel maakt. Zij heeft in haar fantasiewereld een trol die haar te hulp komt. Een speciaal meisje, zeggen veel docenten en mensen die haar kennen.

Jill gaat iedere dag met de bus naar school. Zij heeft al op verschillende scholen gezeten en is daar telkens vanaf gegaan vanwege de pesterijen die ze uiteindelijk niet meer kon verdragen. Op haar huidige school is het niet anders en er zijn geen docenten of medeleerlingen die haar helpen. Eén meisje (een 'Queen bee') heeft het samen met haar helpsters (vazallen) in het bijzonder op Jill voorzien en zij gaan heel ver met hun pesterijen.

Jill heeft als licht autistisch meisje vaste rituelen ontwikkeld. Zo speelt zij 's morgens na het ontbijt en 's avonds voor het slapen gaan haar game op internet met trollen, monsters en demonen. In haar spel (lees haar eigen wereld) heeft zij veel macht, een sterke positie en heeft zij elfen (helpers/adviseuses) die haar regelmatig tips en opdrachten geven. Als Jill het te kwaad heeft, vertelt zij haar problemen aan haar elfen.

Haar ouders kennen haar problemen niet. Ze spreekt er thuis ook niet over. Vanwege haar autistische trekjes gaat zij vaak niet zo handig met het pesten om. Een autistisch kind begrijpt de context niet. Zij ziet alles, maar weet geen verband te maken zodat een totaal plaatje ontstaat. Het échte leven is onvoorspelbaar ... haar game niet! Op een avond ligt ze weer in bed te huilen en te piekeren. De volgende ochtend staat ze vroeg op en na het ontbijt vertelt ze de elfen dat ze weer een hele nacht heeft liggen piekeren en huilen. De elfen zijn het ook zat en adviseren haar de grootste pestkop een lesje te leren. Ze adviseren Jill op school de remmen van de fiets van de Queen bee bijna door te zagen.

Na een paar dagen hoort Jill dat de Queen bee een ongeluk heeft gehad en met haar fiets op de rand van het trottoir is gevallen. Ze was op slag dood. Jill vertelt dit aan haar elfen en die adviseren haar hier met niemand over te spreken. Na een paar maanden wordt Jill gearresteerd en na haar zoveelste verhoor pleegt ze zelfmoord als de rechercheur even water gaat halen. Niemand weet waarom ze zelfmoord heeft gepleegd. Haar ouders zijn erg verdrietig en hebben zich aangesloten bij een stichting voor ouders van kinderen die worden gepest. Deze stichting (www.nko.nl) heeft onder andere tot doel pesten te stoppen en slachtoffers van pesterijen te begeleiden.

HOOFDSTUK 4

AANPAK, PREVENTIE EN CREËREN VAN VEILIGHEID

4.1 ALGEMEEN

Al een groot aantal jaren wordt er gezocht naar een effectief antwoord op het probleem van pesten in het onderwijs. In dit hoofdstuk wil ik een aantal voorbeelden geven van de wijze waarop dit probleem effectief kan worden aangepakt. De beschrijvingen zijn kort en bondig. Als je er meer over wilt weten of als je het binnen jouw school, instelling of (sport)vereniging wilt toepassen, dan verwijs ik je naar boeken en websites waar de meeste antwoorden op de 'hoe nu verder' vragen te vinden zijn. Regelmatig is ook onderzoek gedaan naar de effectiviteit van dergelijke programma's. Helaas is er nogal eens sprake van tegenstrijdige resultaten en twijfel over effecten op de langere termijn. Het is immers lastig om alle beïnvloedende factoren onder controle te houden. Ondanks alle inspanningen hebben we nog niet de beschikking over een algemeen geldende en overdraagbare aanpak om pesten te voorkomen en te bestrijden. Uit onderzoek blijkt wel dat veiligheid en een positief werk- en leefklimaat voorwaardelijk zijn voor de uitvoering van zo'n aanpak. Als je het gevoel hebt dat dat niet aanwezig is, dan moet je er niet aan beginnen. Het is dan bijna gedoemd te mislukken, waardoor pessimisten kunnen zeggen: 'Zie je wel, het helpt toch niet.'
Om zo snel mogelijk de veiligheid te vergroten en de begeleiding succesvol te laten verlopen, is het belangrijk dat iedereen binnen een school, instelling of (sport)vereniging op de hoogte is van visie en plan van aanpak rond dit thema. Daarnaast is het van het grootste belang dat beide door het hele team worden gedragen. Het is niet passend als een jongere 's morgens tijdens een thematische bijeenkomst ervaart en/of leert hoe hij feedback kan geven, en hij vervolgens in de middag of de volgende dag om die reden in conflict komt met een volwassene. Op scholen kan dit thema binnen het mentoraat een centrale plek krijgen. Het is belangrijk dat in dit systeem en tijdens de bijeenkomsten een planmatige aanpak gehanteerd wordt. Hierbinnen neemt een ieder verschillende taken en verantwoordelijkheden op zich. Ouders zijn ook op de hoogte en worden betrokken bij de leerlingbegeleiding. Het gaat mij er niet primair om ouders bij de begeleiding van hun kind te betrekken. Het gaat mij om hun betrokkenheid.
Verder wordt er binnen het systeem gekeken naar de (on)mogelijkheden om

jongeren te informeren en zo nodig te begeleiden en welke organisatorische consequenties dit met zich meebrengt. Voor de docent of (sport)coach is dat vaak lastiger. Zo kan een vakdocent het binnen zijn vaklessen of een coach tijdens de training wel hebben over zijn waarden en normen en kan hij zich met de door de ouders gedelegeerde opvoeding bezighouden. Opvoeding heeft te maken met belonen en straffen. Opvoeden is niet vrijblijvend. Je kunt niet zeggen: 'Doe mij vandaag maar even iets minder opvoeding.' Als mentor of begeleider is het minder wenselijk om bij het bieden van hulp je eigen waarden en normen een grote rol te laten spelen. Als begeleider ben je alleen bezig met het verlenen van hulp. Binnen hulpverlenen praat je over een cliënt en over je gevoel en wat het voor je betekent. Hier zijn de waarden en normen van de hulpverlener (lees: de begeleider) niet gewenst. Een mentor/hulpverlener/begeleider heeft het in dat opzicht gemakkelijker, omdat hij vaak maar één taak en verantwoordelijkheid heeft.

4.2 DE ROL VAN OUDERS

Jongeren hebben ouders nodig om het pesten te stoppen. Daarnaast zijn ouders ook heel belangrijk om de deuk in het zelfvertrouwen uit te deuken. Het is van het grootste belang dat ouders en de school, instelling en (sport)vereniging optimaal samenwerken om de context voor het kind zo veilig mogelijk te maken, zodat het zelfvertrouwen maximaal kan groeien. Uit gesprekken met jongeren blijkt dat zij hun ouders niet of vaak te laat op de hoogte brengen dat ze gepest worden. Uiteraard hangt dat samen met gevoelens van schaamte, dat het hen overkomen is. Ook het gevoel dat het pesten tijdelijk is, speelt een rol bij het zwijgen over pesten. Zelfs als ze erg gebukt gaan onder het pestgedrag houden veel jongeren hun mond. Jammer genoeg zijn er ook veel ouders die het pesten van hun kind niet opmerken. Uit gesprekken met ouders blijkt dat zij het erger vinden dat hun kind wordt gepest dan dat hun kind pest. Schuldgevoel en schaamte overheersen hier dan ook. Agressief – vaak als assertief gedrag vertaald – wordt in het algemeen positiever ervaren dan passief gedrag of onderdrukt worden. Het is belangrijk dat het onderdrukte en gepeste kind erop kan vertrouwen dat zijn ouders hem steunen en hem hulp bieden en/of hulp gaan zoeken. De ouders van de dader(s) spelen een belangrijke rol in het stoppen van pesten en het bieden van een veilige omgeving waar pesten niet nodig is. Het is goed als de ouders van daders openstaan voor feedback en kunnen accepteren dat hun kind andere kinderen pest. Acceptatie is namelijk de sleutel naar verandering.

Daarnaast is het belangrijk dat de omgeving hen het gevoel geeft dat ze zich niet hoeven te schamen of schuldig zijn aan het gedrag van hun kind. Het is belangrijker dat de omgeving hen de ruimte geeft hun kind feedback te geven en rechtstreeks aan te spreken op zijn gedrag en hem alternatief gedrag aanbiedt en laat zien. Als ouders agressief gedrag in het gezin accepteren wordt dit door het kind vaak als normaal beschouwd en zal het kind dit – meestal uit loyaliteit – ook elders doen. Dit geldt ook als het kind geslagen wordt wanneer het iets fout doet. Dat is dan een normale reactie bij het maken van fouten. Veel agressieve jongeren hebben vaak agressieve voorbeelden. Ouders van kinderen die tot de meelopers en/of de stille middengroep behoren, kunnen ook een grote rol spelen om pesten te stoppen en zelfs te voorkomen. Ze kunnen hun kind aanspreken op het meeloop- of passieve gedrag en hen tips geven hoe ze kunnen handelen.

De kwaliteit van opvoeden is niet gekoppeld aan een bepaalde maatschappelijke of sociale bovenlaag. Juist niet. We weten dat de kwaliteit van opvoeden niet afhankelijk is van de maatschappelijke positie. Duidelijk is wel dat een aantal omstandigheden in een gezin van invloed is op de kwaliteit van opvoeden en de onderlinge relatie. Je kunt hierbij dan denken aan relatieproblemen, verslaving, criminaliteit, lichamelijke of psychische ziekten, financiële problemen, werkloosheid enzovoort. Ook is wel wat bekend over de kwaliteit van reacties en adviezen van ouders op kinderen die gepest worden.

Enkele niet erg handige reacties van ouders zijn:

– *Jij vindt ook alles goed, reageer toch!* Het kind weet vaak niet hoe, want anders zou hij de cirkel wel doorbreken.
– *Ram er maar op!* Dat zou hij misschien wel willen, maar het kind is vaak fysiek zwakker dan de anderen.
– *Je zult er wel om vragen!* Misschien heeft het kind wel een aandeel in het feit dat hij gepest wordt, maar het pesten zal hierdoor niet verdwijnen. Sterker nog, het kind ervaart dat hij zo behandeld mag worden.
– *Loop weg en reageer er niet op!* Dit heeft hij vaak al gedaan, zonder resultaat. Dit is alleen mogelijk als het kind niet meer naar de school, instelling en (sport)vereniging gaat.
– *Geloof me, het gaat vanzelf over!* Vaak goed bedoeld, maar wel erg makkelijk en het helpt het kind niet. Afwachten is passief en hierdoor blijf je slachtoffer.

4.3　DE ROL VAN DE SCHOOL, (SPORT)VERENIGING, INSTELLING

De reacties van de leraren, mentoren, begeleiders, trainers, coaches op pesten zijn van groot belang. Voor de dader moet duidelijk zijn dat dit (pest)gedrag niet getolereerd wordt. En voor het slachtoffer moet duidelijk zijn dat er ingegrepen wordt en de veiligheid gewaarborgd is. Op deze wijze krijgt het slachtoffer (en alle toekomstige slachtoffers) erkenning en is dit een signaal naar eenieder binnen de school, instelling en (sport)vereniging welke waarden en normen er heersen. Dat vergroot de veiligheid. Zoals eerder beschreven moet de vicieuze cirkel doorbroken worden. Dit kun je als slachtoffer niet alleen. Anders was hij waarschijnlijk geen slachtoffer geworden. De meelopers en de stille middengroep worden op deze wijze gemobiliseerd. De meelopers hoeven nu niet mee te lopen en de 'stillen' hoeven niet stil te zijn of weg te kijken om niet gepest te worden. Zo hebben de meelopers en de 'stillen' een (pro)actieve rol om pesten te voorkomen. Dit zal hun zelfvertrouwen en eigengrond vergroten.

Een school, instelling of (sport)vereniging heeft de volgende taken:
- **Waar staan we voor?** Iedere school, instelling of (sport)vereniging heeft een visie over wat ze wil bereiken. Daarin staan ook uitspraken over de doelstellingen en ook hoe we met elkaar omgaan. Hierbij horen aanwijzingen hoe we omgaan met pesten, grensoverschrijdend gedrag, veiligheid en straffen en belonen. Maar laat dat soort uitspraken geen papieren tijgers blijven en probeer er echt handen en voeten aan te geven.
- **Signaleer pesten.** Doe niet alsof je het niet ziet, omdat je er dan niets mee hoeft of het er dan niet is. Er zijn scholen, instellingen of (sport)verenigingen die beweren dat er bij hen niet gepest wordt. Wake up! Daar waar mensen samenkomen wordt gepest! Het is aan de school, instelling of (sport)vereniging of je er wat aan doet waardoor het vermindert of zelfs stopt. Er zijn ook scholen, instellingen of (sport)verenigingen die het kinderachtig gedoe vinden en menen dat de jongeren het zelf maar moeten oplossen. We weten nu dat dit bijna onmogelijk is. Als volwassenen niet reageren, communiceren zij naar de jongeren dat het oké is dat je pest. Zo wordt de vicieuze cirkel niet doorbroken.
- **Reageer passend op pesten.** Hard en autoritair reageren verergert het pesten meestal. Zeker als de volwassene denkt dat hij met één keer hard optreden de situatie heeft opgelost. Volwassenen hebben regelmatig na te vragen of de jongere nog gepest wordt. Hard straffen, bijvoorbeeld dat de discoavond niet doorgaat, blijft erg lang aan een slachtoffer hangen en kan een nieuwe reden zijn tot pesten. Een volwassene die hard en rigide optreedt, creëert bij het slachtoffer meer angst dan bij de dader(s).

Het zorgt er vaak voor dat het slachtoffer niet snel een volwassene in vertrouwen neemt. Het verdient de voorkeur dat de volwassene alles goed onderzoekt, beide partijen hoort en de partijen bij elkaar brengt zodat het slachtoffer de daders kan vertellen wat ze hem aandoen en wat hij voelt en denkt. De daders kunnen het slachtoffer inzicht geven in hun gedrag en ze krijgen de gelegenheid tot het herstellen van een prettige en veilige werk/leersfeer.

– **Laat voorbeeldgedrag zien.** Er zijn volwassenen die met het pesten meedoen. Zij kunnen vaak nog beter pesten en treiteren dan jongeren. Dat doen ze om een aantal redenen, bijvoorbeeld om zo aardig gevonden te worden door jongeren, door de lachers op hun hand te krijgen, hun status te vergroten enzovoort. Meestal is er geen opzet in het spel, het gebeurt je zomaar dat je meelacht om een grap ten koste van een jongere. Als pesten door de volwassene wordt ondersteund, herhalen jongeren dit maar al te graag. Al was het alleen maar vanwege loyaliteit en een goede verstandhouding met de volwassene. Zo wordt pesten zelfs als gewenst beschouwd.

– **Maak gebruik van diverse methodieken en aanpakken om pesten te voorkomen of aan te pakken.** Hierover kun je meer informatie vinden in de volgende paragraaf. Je kunt als school, instelling of (sport)vereniging natuurlijk ook een eigen aanpak ontwikkelen die passend is voor jouw doelgroep en taakstelling. Al vaker hebben we aangegeven dat het hier lastig is om een recept voor te schrijven. Het gaat om suggesties en de lezer zal een keuze moeten maken voor een aanpak die passend is bij zijn organisatie. Uiteraard hangt dat ook samen met je eigen waarden en normen en je mogelijkheden.

4.4 AANPAK, PREVENTIE EN METHODIEKEN

Welke van de volgende methodieken, mogelijkheden of instrumenten je als school, instelling of (sport)vereniging ook kiest, het staat of valt met de wijze waarop iedereen in de organisatie naar het thema pesten kijkt en er naar wil handelen. Daarnaast zul je als school, instelling of (sport)vereniging eerst moeten investeren in een veilige omgeving waar zelfvertrouwen kan groeien.

4.4.1 DE BARKRUK VAN HET ZELFVERTROUWEN

Uit mijn contacten met jongeren blijkt dat de meesten de periode van tien tot twintig jaar als een onzekere periode ervaren. Een andere conclusie is dat veel agressie, grensoverschrijdend gedrag, pesten, motivatieproblemen en het moeilijk kunnen kiezen vaak te maken hebben met onzekerheid en weinig zelfvertrouwen. Als we het zelfvertrouwen van jongeren kunnen vergroten, zal hun onzekerheid afnemen en zullen deze problemen verminderen. Je hebt dan pesten en treiteren niet meer nodig om je onzekere en zachte binnenkant te camoufleren. Een jongere reageert net als veel dieren die angstig en onzeker zijn omdat ze aangevallen of in het nauw gedreven worden, door zich op te blazen, te bluffen, bijten, spugen, slaan en dergelijke. Ook hier geldt weer dat als je jouw buitenkant maar zo groot mogelijk maakt, je zachte, kwetsbare en onzekere binnenkant minder opvalt. Zelfvertrouwen kan zich ontwikkelen en groeien door positieve feedback. Voor ieder mens en in het bijzonder voor jongeren is het van levensbelang dat zij het gevoel hebben ertoe te doen, de moeite waard te zijn. Dit ervaren ze in verbinding met anderen door van hen positieve feedback te krijgen, bijvoorbeeld in de vorm van complimenten of schouderklopjes.

Uit het onderzoek van Eveline Crone (2008) blijkt dat het brein van jongeren veel gevoeliger is voor belonen dan voor straffen. Verder is het zo als je alleen maar te horen krijgt wat je allemaal fout doet, je gaat ervaren dat je alleen aandacht krijgt als je je fout of negatief gedraagt. Dat leidt tot nog meer negatief gedrag, want liever negatieve aandacht dan géén aandacht. Zo ervaar je tenminste dat je leeft en dat je er voor je (foute) maatjes in ieder geval toe doet. Hierdoor stijg je in hiërarchie en aanzien en ontwikkel je zelfvertrouwen, vaak echter ten koste van anderen en uiteindelijk ten koste van jezelf.

Ken Blanchard schrijft in zijn boek *The one-minute manager*: 'Feedback is the breakfast of champions.' Feedback is met andere woorden voeding van kampioenen. Jammer dat veel mensen in Nederland feedback vertalen met 'kritiek', waardoor 'feedback' doorgaans neerkomt op vertellen van wat niet goed is of is gegaan. Zo wordt de 'voeding' wel erg eenzijdig en kan het zelfs ziek maken. Vaak worden jongeren alleen beoordeeld en krijgen ze geen feedback. Het lijkt vooral een grote kwaal in het onderwijs, waarbij wij bij het beoordelen sterk gericht zijn op correctie, beoordeling en het geven van punten. Daardoor ligt er een te zwaar accent op de fouten en dus op het negatieve. Vervolgens geven we veel te weinig feedback over wat er fout ging en waarom. Het is dan ook logisch dat zoveel leerlingen in grote spanning zitten bij proefwerken. In gesprekken met mij geven jongeren aan dat ze meer leren van informeren dan van beoordelen. Dit blijkt ook uit het breinonderzoek van Eveline Crone.

Feedback is deels persoonsgebonden (wie je bent, je karakter), deels taakgebonden (wat je doet, je gedrag). Beide kunnen negatief en positief zijn. Negatieve persoonsgebonden feedback is dodelijk, zoals 'Je bent een etterbak.' Hier kun je namelijk niets mee, want als je zo bent dan zul je je ook zo gedragen. Met 'Je gedraagt je als een etterbak' kun je wel wat: je kunt erover nadenken of je je gedrag wilt veranderen of niet. Als je ermee doorgaat zijn er natuurlijk wel consequenties, die je dan ook op de koop toe moet nemen. Immers, als je een regenboog wilt, zul je regen voor lief moeten nemen. Het is aan volwassenen om jongeren veel positieve persoons- en taakgebonden feedback te geven: daarvan groeien ze en ontwikkelen ze zich tot betekenisvolle volwassenen. Door deze succeservaring stijgt vooral hun zelfvertrouwen. Natuurlijk is negatieve, taakgebonden feedback ook nodig om zo – hopelijk consequent – de kaders of het speelveld aan te geven. Want dat is wat jongeren van volwassenen verwachten: samen het speelveld bepalen, waarbinnen ze zich mogen bewegen. Dit zorgt voor een veilige context waarbinnen jongeren kunnen leren, werken, oefenen, groeien en ontwikkelen.

Voor het volgen en afronden van een studie is een basismotivatie nodig. Uit onderzoek blijkt dat de hoogte van deze motivatie op geen enkele wijze samenhangt met de hoogte van de resultaten. In de praktijk merk ik dat een school, instelling of (sport)vereniging met veel hoge resultaten, niet per definitie gemotiveerde deelnemers heeft. Een betere graadmeter is de mate waarin deelnemers plezier beleven aan wat ze doen. Dit betekent dat als de school, instelling, (sport)vereniging – maar ook ouders – voor een veilige omgeving zorgen, jongeren hier graag zijn en dan vanzelf gaan leren, groeien en ontwikkelen. Het welbevinden van jongeren binnen hun context staat immers in relatie met hun motivatie.

Een school, instelling of (sport)vereniging (en ook ouders) die jongeren door inspiratie weet te motiveren erkent een aantal behoeften die essentieel zijn voor deze emotionele veiligheid, namelijk:

Behoefte aan autonomie
Ik heb invloed op mezelf en op anderen; ik kan en durf zelf besluiten te nemen.
Behoefte aan competentie
Ik kan iets, ben ergens goed in. Wat ze van mij vragen, kan ik.
Behoefte aan relaties
Ik ben betekenisvol voor mezelf en mijn omgeving; ik doe er toe; ik ben de moeite waard; ik ben welkom.

Luc Stevens formuleert deze behoeften als volgt: *'Onder de basisbehoefte re-latie wordt verstaan dat jongeren zich geaccepteerd weten, ze erbij horen, ze het gevoel hebben welkom te zijn, ze zich veilig voelen. Onder de basisbehoefte com-petentie wordt verstaan dat jongeren ontdekken dat ze de taken die ze moeten doen, aankunnen; dat ze ontdekken dat ze steeds meer aankunnen. Onder de basisbehoefte autonomie wordt verstaan dat ze weten dat ze (in elk geval voor een deel) hun leergedrag zelf kunnen sturen. Deze drie basisbehoeften samen be-palen het pedagogisch klimaat dat aan adaptief onderwijs ten grondslag ligt.'*

Met deze drie basisbehoeften heeft Stevens de ingrediënten geboden voor een schoolontwikkeling, waarin veiligheid, pedagogisch klimaat en sociaal welbevinden van groot belang zijn. Deze vormen tegelijkertijd de basis voor de vorming van een pestvrij klimaat, waarin respect en vertrouwen overheersen. De drie basisbehoeften van Luc Stevens brachten mij tot het ontwikkelen van *De barkruk van het zelfvertrouwen*. Deze barkruk heeft drie poten en deze poten moeten regelmatig worden onderhouden, zodat je er met een gerust hart (vertaal dit als zelfvertrouwen) op durft te gaan zitten. Als iemand regelmatig (het liefst elke week, nog liever elke dag en nog veel liever elke les/training) het signaal krijgt dat hij ertoe doet, dat hij gewaardeerd wordt (onderhoud van de poot van de relatie), dat hij iets zonder hulp kan doen (onderhoud van de poot van de competentie), dat hij invloed heeft op zichzelf en anderen en dat hij zelfstandig is (onderhoud van de poot van de autonomie), dan zal hij uitgroeien tot een betekenisvolle volwassene.

Figuur 4.1. **Barkruk van zelfvertrouwen**

Veel jongeren blijken agressief, sociaal onhandig en grensoverschrijdend gedrag te vertonen om hiermee hun onzekerheid en angst te verbergen. Achter dit gedrag zit dus mijns inziens angst, kwetsbaarheid, verlangen of een behoefte. Als jongeren erkenning krijgen voor wat zij goed kunnen of doen, dat ze autonoom kunnen en mogen zijn en dat zij er voor anderen toe doen, dan hebben ze weerstand in de vorm van sociaal onhandig, agressief en grensoverschrijdend gedrag helemaal niet meer nodig. En dat zal dan waarschijnlijk verdwijnen als een sneeuwpop waar je twee emmers heet water overheen gooit.

Als docent, mentor, ouders, trainer, coach, begeleider kun je nu de volgende uitgangspunten formuleren voor je werk met jongeren:

Autonomie:

Ik zorg ervoor dat jongeren ruimte hebben om zichzelf te zijn. Ik stimuleer het bedenken van eigen oplossingen. Ik straal uit dat zij ook heel veel kunnen zonder mij. Ik maak werkafspraken met ze.

Relatie:

Ik zorg ervoor dat jongeren tot samenwerken komen. Ik betrek alle jongeren bij de uitleg, de demonstratie en het oefenen. Ik laat merken dat ik heel benieuwd ben naar de denkstappen van eenieder. Ik maak hier werkafspraken over.

Competentie:

Ik zorg dat jongeren veel succeservaringen hebben. Ik zorg voor denkpauzes. Ik laat ze weten dat ik hun antwoord serieus neem.

Net als in de omgang met volwassenen geldt voor jongeren in het bijzonder dat datgene 'waar je energie in stopt, groter wordt'. Als je energie stopt in dat wat goed gaat, zal dat groter worden en zal dit een zuigende werking hebben. Vooral leraren dienen te beseffen dat je niet alleen moet strepen met het rode potlood. Geef jongeren erkenning voor wat ze wel kunnen. Zo krijgen ze het gevoel dat ze ertoe doen. Soms is straffen noodzakelijk bij gedrag dat echt niet kan dan wel tegen gemaakte afspraken ingaat, maar als je straft, straf dan van dichtbij. Het negatieve blijft dan zo klein mogelijk. Op het moment dat je beloont op afstand maak je het positieve groot en communiceer je naar de jongere dat je alleen aandacht voor hem hebt als hij zich positief gedraagt en goed meedoet. Zo heeft hij geen negatief gedrag nodig om aandacht te krijgen. Hij beseft namelijk dat hij alle aandacht krijgt als hij zich positief gedraagt. Ouders, leeftijdsgenoten, docenten, mentoren, hulpverleners en begeleiders spelen een belangrijke rol bij de totstandkoming van motivatie en zelfvertrouwen. Het is belangrijk hoe ouders denken over de groei en de ontwikkeling van hun kind. De contacten tussen school, instelling, (sport)vereniging, ouder(s) en kind zijn daarom essentieel, zoals contextuele begeleiders aangeven met de term *dynamische driehoek*. Hier heb je in hoofdstuk 3 meer over kunnen lezen.

Vaak wordt iemands prestatie vergeleken met die van anderen. Dit is meestal dodelijk voor de motivatie, het zelfvertrouwen en de ontwikkeling van jongeren. Stop je energie liever in de ontplooiing van de jongere als individu. Geef meer aandacht aan het proces dan aan het product. Laat duidelijk zijn dat het verbeteren van de motivatie en het zelfvertrouwen niet alleen een zaak is van één individu, maar van allen uit de context van de jongere. Natuurlijk heeft dit ook een positieve uitwerking op de motivatie en het zelfvertrouwen van ieder individu uit de context. Immers, een goed gemotiveerde docent, mentor, coach, begeleider of hulpverlener die zijn werk kennelijk met plezier doet, is de beste inspiratiebron voor jongeren.

Net als Stevens heeft ook Marzano een bijdrage geleverd aan de versterking van een veilig klimaat en de schoolontwikkeling. Vooral Marzano geldt als een vertegenwoordiger van het denken over een resultaatgerichte school. In die school is alles erop gericht toe te werken naar het halen van het hoogst haalbare bij jongeren en het realiseren van gestelde doelen. In zijn publicatie *Kunst en wetenschap van lesgeven* komt hij tot elf factoren die een bijdrage leveren aan succes:

School/Instelling/Verenigingsniveau:
1. Haalbaar en gedegen programma
2. Uitdagende doelen & effectieve feedback
3. Betrokkenheid van ouders en gemeenschap
4. Veilige, ordelijke omgeving
5. Collegialiteit & professionaliteit

Leraar/Trainer/Coachniveau:
6. Didactische aanpak
7. Pedagogisch handelen & klassenmanagement
8. Sturing & herontwerpen programma

Jongerenniveau:
9. Thuissituatie
10. Achtergrondkennis
11. Motivatie

Ook hier verwijst een aantal begrippen direct naar het creëren van een voor ieder veilig leer-, werk- en leefklimaat. Leiders van scholen moeten alles doen om de voorwaarden hiervoor te realiseren. Uit diverse studies weten we dat een aantal factoren een negatieve invloed heeft op de veiligheid en bevorderend werkt op een klimaat waarin sneller gepest wordt. In het bijzonder gaat het dan om de volgende onderwerpen:

– het ontbreken van een transparante structuur in de school;
– onduidelijkheden in de structuur van leidinggeven;
– resultaten van de school als geheel en van individuele leerlingen die niet in overeenstemming zijn met de verwachtingen;
– ontbreken van of onduidelijkheid over regels;
– inconsequent toepassen van regels;
– een sterke anonimiteit van leerlingen en personeel;
– geen snelle en adequate afwikkeling van conflicten en problemen.

Alle reden om hard te werken om dergelijke factoren te kantelen en energie te steken in de ontwikkeling van een positief pedagogisch en didactisch klimaat, waarin veiligheid en respect voorop staan. Het is ook een klimaat, waarin jongeren erkend worden en waarin kennis is over hun leefomstandigheden en geschiedenis. Iedere school, instelling of (sport)vereniging zal toegeven dat ze hard werkt aan de realisering daarvan. We weten ook dat op veel scholen, instellingen of (sport)verenigingen dit beperkt blijft tot papieren beloften of afspraken. Een en ander is dan nog vaak onvoldoende vertaald naar concrete acties en programma's met een doorwerking naar iedere plek in de school, instelling of (sport)vereniging.

Uit diverse studies over kwaliteitszorg (Both, D. en Bruijn, de A., 2007) weten we dat scholen onderling qua resultaten grote verschillen vertonen. Uit al die studies komt ook naar voren dat het pedagogisch klimaat en de veiligheid vaak van doorslaggevende betekenis zijn, vooral bij scholen waarvan ongeveer dezelfde resultaten verwacht mogen worden.

4.4.2 BEWUSTWORDING IS DE EERSTE STAP NAAR VERANDERING

Voortbordurend op het gedachtegoed van het Johari-venster heb ik de Put van Rut ontwikkeld. De Put van Rut kent vier posities;

➤ Onbewust-onbekwaam (OO)
➤ Bewust-onbekwaam (BO)
➤ Bewust-bekwaam (BB)
➤ Onbewust-bekwaam (OB)

Het is mijns inziens de taak van iedere trainer, coach, mentor en begelei-der, jongeren bewust te laten worden van hun bekwaamheid en onbe-kwaamheid. Daarnaast is het belangrijk dat iedere jongere het proces van bewust-onbekwaam (BO) naar bewust-bekwaam (BB) via tools, gesprek-ken, oefenen, kennis, inzicht, ankers ervaart en dit ook in andere situaties kan toepassen. Hierna is het mogelijk dat je door veel oefenen en toepas-sen uiteindelijk onbewust-bekwaam (OB) wordt. Een trainer, coach, men-tor en begeleider heeft op te passen voor jongeren (naar mijn ervaring zijn dit meestal jongeren met een hoog niveau) die van BO naar OB schieten. Als deze jongeren namelijk terugvallen naar BO, dan hebben ze geen idee hoe ze bij OB terecht zijn gekomen.

Voor mij is de enig effectieve weg:
OO – BO – BB – OB of OB – BB – OB

Waar zit de winst?

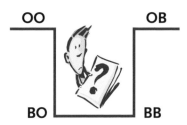

Figuur 4.2 **Put van Rut**

4.4.3 HOE MET JONGEREN IN GESPREK OVER ONDER ANDERE PESTEN?

Om het thema pesten bespreekbaar te maken is een veilige en positieve sfeer belangrijk. Het regelmatig voeren van kring- of klassengesprekken over de processen binnen de groep is daarbij een essentieel hulpmiddel. De hierna volgende beschrijving van het voeren van een kring- of klassenge-sprek is overgenomen uit *Docent van nu* (K.J.Terpstra, 2010). Veel mentoren, begeleiders, trainers of coaches zullen het herkennen: zodra een gespreks-onderwerp wordt aangesneden, willen allerlei groepsleden onmiddellijk en het liefst tegelijkertijd hun mening geven. Ze krijgen sterk de neiging om door elkaar heen te praten en niet naar elkaar te luisteren, in kleine groepjes spontaan verder te discussiëren en telkens opnieuw iets naar voren te brengen wat al eerder is gezegd. Al snel komt de mentor, begeleider, trainer of coach in de rol van strenge discussieleider terecht, waarbij maar een beperkt groepje aan de discussie deelneemt, meestal de meest mondige. Of de mentor, begeleider, trainer of coach neemt het heft in handen en steekt een preek af. Hieronder staat een stappenplan voor een effectiever kring- of klassengesprek. Door te werken in groepjes, krijgen ook de meer bescheiden jongeren de mogelijkheid zich te uiten.

Stap 1 Voorbereiding
Zet de deelnemers in groepjes van drie à vier bij elkaar. Je kunt de groep indelen door gebruik te maken van *energizers*. In deel B van dit boek staan daarvoor talrijke suggesties. Leg uit waarom je ze in groepjes verdeelt. Een heel belangrijke reden kan zijn dat leerlingen moeten leren samenwerken met willekeurig welke andere leerling en niet alleen met vrienden of vriendinnen. In een baan kun je meestal ook niet je collega's uitkiezen.

Stap 2 Introductie
De mentor, begeleider, trainer of coach geeft aan wat het thema van het kringgesprek zal zijn. Bijvoorbeeld: 'Wat doen we als iemand in de groep pest of gepest wordt?' of 'Wat gaan we ondernemen om de sfeer in de groep nog veiliger en beter te maken zodat pesten niet nodig is?' Het is belangrijk om het thema positief te formuleren. In het geval van een negatieve formulering kunnen de groepsleden snel in de verdediging schieten. Of ze vervallen in een onvruchtbare klaagzang over wat er niet deugt en wat er verder nog allemaal mis is. Een positieve formulering geeft een oplossingsgerichte beginhouding. De nadruk komt dan te liggen op het proactief maken van de groepsleden. Dit accepteert niet elke jongere zonder slag of stoot. Mijn ervaring is dat zodra jongeren de afspraken die aan het eind van het gesprek zijn gemaakt, uitvoeren en het positieve resultaat daarvan merken, ze meestal gemotiveerder aan een vervolggesprek deelnemen.

Stap 3 Inventarisatie
De mentor, begeleider, trainer of coach stelt een aantal concrete vragen over het gespreksthema. Bijvoorbeeld: 'Wat gaat er wel en niet goed tijdens het samenwerken?' of 'Wat is er goed en niet goed aan de sfeer in deze klas/groep/team?' of 'Wat is de oorzaak dat ...... regelmatig gepest wordt?' Belangrijke vraag daarbij is: 'Wat is ons (mijn) eigen aandeel daarin?' ('Wat doen wij zelf om het wel/niet leuk te maken etc.?) Elk groepje noteert in het kort de antwoorden op de vragen (een paar minuten). Daarna geeft de mentor, begeleider, trainer of coach aan elk groepje de opdracht een lijstje

te maken met de belangrijkste punten die door de groepsleden zijn opgeschreven en waarover ze het binnen hun groepje eens moeten worden.
Vervolgens wisselen de jongeren binnen hun groepje de antwoorden op
hun vragen uit en maken ze hun lijstje (een paar minuten). Deze discussie-
ronde is erg belangrijk: alle jongeren hebben iets tegen elkaar te zeggen.
Voor een mentor, begeleider, trainer of coach is het heel leerzaam dan rond
te lopen en goed te luisteren.

De mentor, begeleider, trainer of coach stopt de discussie en kiest aselect
de woordvoerders. Bijvoorbeeld: 'Stel in je groepje vast wie het hoogste
huisnummer heeft.' Of 'Wie is er vanaf nu het eerst jarig?' Deze jongere is
dan woordvoerder. Hiermee voorkom je dat steeds dezelfde jongeren
woordvoerder zijn. Alle woordvoerders krijgen nu om beurten de gelegenheid om zonder interrupties van anderen hun verhaal te doen. De mentor,
begeleider, trainer of coach stelt 'wat- en hoe-vragen' om zaken zo duidelijk
mogelijk te krijgen en inventariseert ze op het bord. Het is belangrijk om
veel samen te vatten en te checken: 'Heb ik goed begrepen dat ...' Op dit
moment reageer je zelf *niet* inhoudelijk op wat de groepsleden naar voren
brengen: je gaat *geen* discussie aan. Als laatste kun je ook zelf, als je betrokken bent bij het gespreksthema, antwoord op de vraag geven: 'Wat is mijn
aandeel als mentor, begeleider, trainer of coach? (Totaal ongeveer tien minuten.)

Stap 4 Bedenken van nieuwe regels/afspraken en oplossingen
Elke jongere noteert vervolgens in het kort een aantal noodzakelijke nieuwe regels/afspraken en mogelijke oplossingen voor de vastgestelde problemen (enkele minuten). Elk groepje discussieert over wat opgeschreven is
en maakt een gemeenschappelijk lijstje. Om tijd te besparen kan eventueel
een maximum aantal regels/afspraken of oplossingen worden vastgesteld.
Alle woordvoerders (dat kunnen andere zijn dan de eerste) krijgen dan de
gelegenheid zonder interrupties van anderen hun regels en oplossingen te
presenteren. De mentor, begeleider, trainer of coach inventariseert die op
het bord. Noteer naast de serieuze bijdragen ook een enkele onwerkbare of
niet-serieuze bijdrage: 'Je mag zelf weten wanneer je komt en gaat.' De
mentor, begeleider, trainer of coach onthoudt zich ook nu van een oordeel!
(Totaal ongeveer tien minuten.)

Als er geen serieuze bijdragen komen, voelen jongeren zich vaak niet serieus genomen of is het niet veilig genoeg. Verder kunnen ze het idee hebben dat ze niet echt invloed op de inhoud van het gesprek hebben. Er kan
ook een veel belangrijker thema spelen dan het thema dat als eerste aan de
orde is gesteld.

Stap 5 Schrappen

De mentor, begeleider, trainer of coach stelt nu één voor één elke oplossing en regel aan de orde. Per onderdeel geven de groepsleden aan of deze voor hen acceptabel zijn. De mentor, begeleider, trainer of coach kan ook aangeven welke oplossingen en regels/afspraken voor hem wel of niet acceptabel zijn. Ook komt bij elk onderdeel aan de orde: is de regel/afspraak of oplossing haalbaar? Wat zijn de consequenties? Let op dat zoveel mogelijk verschillende groepsleden aan het woord komen en kap herhalingen af. Alleen de serieuze en beste regels en oplossingen blijven nu over: daaraan wordt de meeste aandacht besteed. Vaak worden niet-serieuze voorstellen door groepsleden afgeserveerd. Mijn ervaring is dat jongeren, wanneer dit soort gesprekken regelmatig wordt gevoerd, snel doorkrijgen dat je als jongere de meeste invloed krijgt als je met goede en serieuze ideeën komt. Het aantal 'grappige' bijdragen neemt dan snel af (totaal ongeveer tien minuten).

Stap 6 Afspraken maken

Uiteindelijk stelt de mentor, begeleider, trainer of coach samen met de groep vast welke regels/afspraken gaan gelden en welke oplossingen worden gekozen. Deze worden vastgelegd. Het moeten echte afspraken zijn. 'Wij spreken af dat jullie ...', is geen afspraak maar een opgelegde regel. In dat geval is het eerlijker om te zeggen: 'Ik wil dat ...'. Een echte afspraak is gebaseerd op wederkerigheid: beide partijen stemmen ermee in. De mentor, begeleider, trainer of coach draagt er zorg voor dat de afspraken acceptabel zijn, zowel voor hemzelf als voor de groep of het team. Bovendien moeten de afspraken haalbaar zijn en zo concreet mogelijk geformuleerd. Laat de jongeren ook eventuele (ludieke) sancties verzinnen bij het niet naleven ervan. Bij drukke groepen of teams werkt het beter dit weer in groepjes te doen zoals hierboven beschreven. Zorg voor een situatie waarbij iedereen iets wint: er mag geen situatie ontstaan waarbij één partij triomfantelijk gelijk krijgt.

Tot slot wordt er een moment afgesproken waarop wordt bekeken hoe de afspraken functioneren. Evaluatie en vervolggesprekken zijn in dit proces heel belangrijk: de kans op terugvallen in oude patronen is immers levensgroot (totaal ongeveer tien minuten).

Een kringgesprek zoals hierboven is beschreven, kost veel tijd: ongeveer drie kwartier. Tegelijkertijd bespaart het je veel tijd en energie die je niet meer in steeds dezelfde negatieve zaken hoeft te steken. Niets is voor jongeren motiverender dan werkelijk invloed hebben op de wijze waarop de les/training verloopt. Het bovenstaande stappenplan is dan ook mede ontstaan door feedback van jongeren die telkens met suggesties kwamen hoe je een dergelijk kringgesprek nog beter kon voeren. Er geldt wel een belangrijke voorwaarde: ga als mentor, begeleider, trainer of coach open het gesprek in zonder je eigen oplossing vooraf al bedacht te hebben. Als jongeren merken dat het resultaat van het gesprek de oplossing moet opleveren die jij al in je hoofd had, dan werkt dat averechts. Je kunt er dan op wachten dat ze de volgende keer het gesprek totaal niet serieus nemen. Als ze daarentegen merken dat ze werkelijk invloed hebben, raken ze steeds gemotiveerder om met je mee te denken.

Schematisch ziet een kringgesprek er als volgt uit:

1 Voorbereiding

Groepjes van drie à vier groepsleden samenstellen inclusief woordvoerder.

2 Introductie van het gespreksonderwerp

- De begeleider introduceert het gespreksonderwerp.
- De begeleider legt de procedure – zoals hierna volgt – uit.

3 Probleeminventarisatie

- Elk groepje schrijft in het kort antwoorden op van vragen die de begeleider over het gespreksthema stelt.
- Aselect vaststellen van de woordvoerders van de groepjes.
- Woordvoerders vertellen de groepsantwoorden op de vragen.
- De begeleider maakt hiervan een inventarisatie op het bord/flap.

(Totaal ongeveer tien minuten.)

4 Verzinnen van nieuwe regels en oplossingen

- Elk groepje schrijft een aantal regels of mogelijke oplossingen op.
- Inventarisatie door de begeleider op het bord/flap.

(Totaal ongeveer tien minuten.)

5 Schrappen

Regels en oplossingen die voor de begeleider en/of de groepsleden niet acceptabel zijn, worden geschrapt.

6 Afspraken maken

- De beste en meest acceptabele oplossing wordt door de groepsleden onder leiding van de begeleider gekozen en vastgesteld.
- Vaststellen van het moment waarop wordt nagegaan in hoeverre de afspraken werken en welke vervolgafspraken nodig zijn.

(Totaal ongeveer tien minuten.)

4.4.4 AANDACHT IN DE MENTORLES EN/OF THEMATISCHE LESSEN

Mentorlessen lenen zich bij uitstek voor het bespreekbaar maken van het thema pesten. Je kunt ook via speciale thematische bijeenkomsten pesten bespreekbaar maken en daarmee op de agenda zetten. Hoe zorg je voor een veilig leerklimaat? Hoe geef je jongeren feedback en erkenning? Hoe kun je een groepsgesprek voeren? In dit hoofdstuk probeer ik op al deze vragen antwoord te geven. Bovendien worden vele praktische tips gegeven, met name voor hoe je er als mentor, begeleider, trainer of coach voor kunt zorgen dat een groep jongeren zich ontwikkelt tot een zo hecht mogelijke groep waarin zij kunnen leren en waarin hun persoonlijkheid zich kan ontwikkelen.

Het opzetten van een mentor- of themabijeenkomst

De hierna volgende beschrijving van het opzetten van een mentor- of themabijeenkomst is overgenomen uit *Mentor van nu* (K.J.Terpstra en H. Prinsen, 2011). De mentor, begeleider, trainer of coach kan in de groep aandacht besteden aan belangrijke gebeurtenissen, zoals pesten, de manier waarop conflicten worden opgelost e.d. In dit boek beschrijf ik allerlei oefeningen en hulpmiddelen die je behulpzaam kunnen zijn bij het bespreekbaar maken van dergelijke onderwerpen. Aansprekende oefeningen verhogen de aandacht en kunnen bijdragen aan een grotere motivatie van jongeren om actief aan de mentorles of themabijeenkomst deel te nemen. Het rendement van een mentoruur of themabijeenkomst is zeer afhankelijk van de manier waarop een mentor, begeleider, trainer of coach daar invulling aan geeft. Of jongeren iets oppakken uit een oefening, zich bewuster worden van het effect van hun handelen, wordt vooral bepaald door de nabespreking van een oefening. Het gaat dan om vragen als: 'Wat is er precies gebeurd?', 'Wat hebben jullie ervaren?', 'Wat zou er anders of beter kunnen?', 'Wat betekent dit voor onze groep?' Hoe opener je daarbij zelf als mentor, begeleider, trainer of coach bent, hoe veiliger de sfeer. Hoe veiliger de sfeer, hoe meer jongeren bereid zijn om naar elkaar te luisteren en te leren als groep. Het welkom heten, het samen evalueren en het afscheid nemen van elkaar, spelen daarbij een belangrijke rol.

Tijdens de mentorlessen of themabijeenkomsten worden vaak oefeningen gedaan om elkaar beter te leren kennen. Bovendien ontwikkelen jongeren dankzij deze oefeningen nieuwe vaardigheden. Ze leren erdoor samenwerken en het groepsproces wordt erdoor bevorderd. Het welslagen van de oefeningen hangt voor een belangrijk deel af van de manier en het enthousiasme waarmee de oefening wordt geïntroduceerd en nabesproken. Het is goed als je eerst de procedure en daarna de inhoud van de oefening uitlegt.

De instructie over de procedure van een oefening omvat een aantal steeds terugkerende elementen:

- Hoeveel tijd is er beschikbaar?
- Met wie moet de opdracht worden gedaan? Alleen, in duo's, in groepjes?
- Hoe moet de opdracht worden gedaan?
- Hoe wordt de opdracht nabesproken?

En eventueel ook nog:

- Van wie krijg je hulp? (Bijvoorbeeld eerst van groepsgenoten; pas als de groep er niet uitkomt van de begeleider.)

Tot slot wordt de inhoud van de opdracht uitgelegd. De reden daarvoor is dat de deelnemers niet alvast over de opdracht gaan nadenken en daardoor de rest van de procedure niet meer horen.

De eerste mentorles of themabijeenkomst

Tijdens de eerste mentorles/themabijeenkomst wordt de toon gezet voor de wijze van werken in het aankomende jaar/seizoen. De volgende onderdelen kunnen dan aan de orde komen:

Het doel van de mentorlessen/themabijeenkomsten
Om te beginnen maak je de jongeren duidelijk wat jouw rol als mentor, begeleider, trainer of coach inhoudt. Vooral is van belang dat zij niet alleen tijdens het mentoruur/themabijeenkomsten, maar ook daarbuiten kunnen delen wat hen bezighoudt, waar ze last van hebben en waar ze hulp bij nodig hebben. Het is goed als ze weten dat je niet hun redder bent en dat ze zelf aan de slag moeten. Bovendien laat je iedere jongere zijn wensen en persoonlijke doelen voor het komende jaar/seizoen formuleren. En wat hij van de mentorlessen/themabijeenkomsten, de andere klas/groeps/teamgenoten en de mentor, begeleider, trainer of coach verwacht.

Kennismaking
Aan de hand van verschillende kennismakingsoefeningen leren de jongeren elkaar en hun mentor, begeleider, trainer of coach kennen. Voor inspirerende oefeningen verwijs ik naar deel B. Hoe meer ze van elkaar weten, hoe meer begrip zij voor elkaar ontwikkelen en hoe groter de onderlinge veiligheid wordt. Daarvoor is wel nodig dat er de nodige veiligheid heerst en er garanties worden ingebouwd dat er op een respectvolle wijze met elkaar wordt omgegaan. In een veilige groep/team/klas kunnen jongeren zichzelf zijn met al hun aardigheden en eigenaardigheden. Al doende leren ze elkaars 'gebruiksaanwijzing'. Het verdient

aanbeveling om zeker de eerste tien bijeenkomsten/trainingen te beginnen met een kennismakingsoefening, zodat de jongeren elkaar door en door leren kennen. Ook daarna kan het nodig zijn om af en toe nog eens een oefening te doen waardoor de jongeren nog meer vertrouwd met elkaar raken.

Het nabespreken van oefeningen
Tijdens het mentoruur/themabijeenkomst worden diverse oefeningen en *energizers* gedaan. De wijze waarop deze oefeningen worden nabesproken kan veel invloed hebben op de manier waarop de jongeren elkaar leren aanspreken en daarmee op de veiligheid in de groep. De volgende procedure kan helpen een nabespreking op een veilige manier te laten verlopen: Elke jongere zegt eerst iets positiefs over zichzelf en daarna over hoe hij de oefening heeft ervaren. Bijvoorbeeld door antwoord te geven op vragen als: 'Wat vond je goed van jezelf?, 'Waar was je tevreden over?', 'Wat zou je nog meer willen zeggen?' De andere jongeren worden uitgenodigd rechtstreeks op hem te reageren en hem daarbij aan te kijken. Daarbij wordt hen gevraagd te beginnen met iets positiefs te zeggen over de bijdrage van de desbetreffende jongere aan de oefening, bijvoorbeeld op de volgende manier: 'Ik vond ... goed van jou' of '... vond ik erg prettig'. Daarna krijgen de jongeren de mogelijkheid om hem nog een tip te geven. In totaal geven maximaal twee à drie jongeren een tip. Meer tips zijn over het algemeen voor een mens te veel, want dat zou betekenen dat hij daar allemaal iets mee moet gaan doen. Mijn ervaring is dat iemand na twee tips aardig vol zit. Over de tips wordt niet gediscussieerd. Het staat eenieder vrij om wel of niet iets met de gegeven tips te doen.

TIP!
Het verdient aanbeveling om tijdens de oefeningen in een kring te zitten zonder tafels. Dat zorgt voor meer intimiteit en openheid.

Het maken van werkafspraken
In overleg met de jongeren worden werkafspraken gemaakt die kunnen bijdragen aan een veilige sfeer. Dat kan bijvoorbeeld door de jongeren zelf, in groepjes, de werkafspraken te laten bedenken met als startvragen: 'Wat moet er gebeuren om mij in deze groep veilig te voelen? Wat mag er dan zeker niet gebeuren?' Daarna wordt in samenspraak met de hele groep vastgesteld wat de uiteindelijke gezamenlijke afspraken worden. Alle afspraken komen op een groot vel papier te staan dat tijdens elk mentoruur/themabijeenkomst wordt opgehangen. Alle anderen die met deze groep/klas/team

werken krijgen een afschrift, zodat zij erop kunnen toezien dat iedereen zich aan deze afspraken houdt en dat ze elkaar hierop rechtstreeks aanspreken. Elke jongere zegt apart – om de beurt – of hij akkoord kan gaan met de werkafspraken. Het is mijn ervaring dat de volgende werkafspraken vaak (in hun taal) worden genoemd:

- We bewaken onze eigen grenzen. Je zegt het bijvoorbeeld als je het vervelend vindt als iemand je aanraakt of iets naars tegen je zegt.
- We hebben respect voor andermans grenzen.
- We zeggen wat ons dwars zit en blijven er niet mee rondlopen.
- We nemen iedereen serieus. Er wordt niemand belachelijk gemaakt.
- We laten elkaar uitspreken.
- We uiten nooit kritiek op een ander over wie hij is, alleen over dingen die hij doet en kan veranderen.
- We zijn open en direct tegen elkaar.
- We komen op iedere bijeenkomst.
- We mogen fouten maken.

Het nabespreken van de mentorles/themabijeenkomst
Aan het eind van de mentorles/themabijeenkomst wordt op dezelfde manier als bij de oefeningen nabesproken. Op deze wijze kunnen de jongeren zich bewust worden van wat zij hebben geleerd en ervaren of wat voor hen belangrijk is. Verder kunnen ze aangeven hoe ze deze mentorles/themabijeenkomst hebben ervaren door antwoord te geven op vragen als: 'Wat vond je fijn aan deze les/bijeenkomst?' en 'Welke tip zou je willen geven?' Niet iedereen hoeft tijdens deze nabespreking iets te zeggen. Het gaat erom dat de hele groep met de belangrijkste bevindingen en tips kan instemmen. Tijdens de volgende mentorlessen/themabijeenkomsten kun je met deze tips van de jongeren rekening houden. En op jouw beurt vertel je de klas/groep hoe jij als mentor, begeleider, trainer of coach deze bijeenkomst hebt ervaren.

Vervolglessen/bijeenkomsten

Tijdens de vervolglessen/bijeenkomsten kunnen de volgende onderdelen aan bod komen:

- Nieuwe kennismakingsoefeningen.
- Het bespreken van de opgedane ervaringen van de afgelopen week aan de hand van vragen als: 'Hoe is het gegaan?', 'Wat wil je hierover vertellen?', 'Hoe heb je ... ervaren?', 'Wat zou je graag willen?'
- Iedereen kan op elkaar reageren met inachtneming van dezelfde regels als bij het nabespreken van oefeningen.

- Het evalueren van de persoonlijke doelen van de jongeren. Wat is er wel en niet gelukt? Hoe komt dat? Wat heb je nodig om het anders of beter te doen?
- Thematische oefeningen, zoals het omgaan met conflicten, rouw en verdriet et cetera.

Elke bijeenkomst wordt nabesproken zoals hiervoor is beschreven.

Werken met een sociogram
In een *sociogram* worden de relaties tussen jongeren in een klas/groep/team schematisch in kaart gebracht. Zo kan bijvoorbeeld zichtbaar worden gemaakt welke jongeren met elkaar bevriend zijn of ruzie hebben of wie er eventueel pesten of worden gepest. Als mentor, begeleider, trainer, coach is het verstandig om twee à drie keer per jaar een sociogram te maken of als er mogelijk problemen in de groep een rol spelen. Op internet zijn programma's te vinden voor het maken van een sociogram. Veel geraadpleegde sites zijn:
www.sociogram.nl
www.sometics.nl
www.groepsdynamiek.nl/sociogram
www.lantaarn.demon.nl/medemens/soc-em/sociogram

4.4.5 BEÏNVLOEDEN VAN HET GROEPSPROCES

Groepsvorming

Deze paragraaf is behoudens enkele aanpassingen overgenomen uit *Docent van nu* (K.J. Terpstra, 2010). De terminologie die daarin wordt geïntroduceerd en de wijze waarop de groepsvorming wordt beschreven, wijkt op een aantal punten af van wat in veel literatuur gangbaar is. Vanaf het moment dat jongeren in een nieuwe groep/team/klas bij elkaar komen, ontwikkelen zij voor die groep/team/klas bepalende kenmerken. Deze kenmerken betreffen de onderlinge sfeer en veiligheid, de mate waarin wordt samengewerkt en de opstelling van de groep ten opzichte van de leertaken die de mentor, begeleider, trainer, coach aanbiedt. In die ontwikkeling zijn vijf fasen te onderscheiden:
1. Oriëntatie
2. Socialisatie
3. Confrontatie
4. Stabilisatie
5. Afscheid

1. Oriëntatie

In het begin oriënteren jongeren zich vooral op hoe anderen op hen overkomen en hoe zij zelf overkomen. In deze fase is de belangrijkste vraag:
hoe pas ik met mijn taalgebruik, mijn uiterlijk en mijn kleding in deze
groep? Er wordt dus vooral heel erg naar elkaar gekeken en geluisterd.
Daarbij houden ze hun onderlinge interacties scherp in de gaten. Tegelijk-
kertijd proberen ze hun autonomie te behouden. Dit levert een spannings-
veld op waarin jongeren zoeken naar veiligheid. Ze oriënteren zich ook op
nieuwe taken en nemen daarin vaak een afwachtende houding aan. In
klassen/groepen/teams waarin de meesten elkaar al kennen, kan deze fase
heel snel worden doorlopen. In heel nieuwe klassen/groepen/teams duurt
deze fase ongeveer twee weken, waarin ze over het algemeen rustig zijn.
Mentoren, begeleiders, trainers, coaches kunnen dan erg enthousiast raken over klassen/groepen/teams, terwijl die in een latere fase heel erg te-
genvallen.

Het begeleiden van een groep tijdens de oriëntatiefase
De volgende activiteiten maken een positieve ontwikkeling in deze fase
mogelijk:
- Snel alle namen leren en bij een nieuwe groep ervoor zorgen dat ze elkaars namen kennen. Hiervoor zijn allerlei kennismakingsoefeningen
  geschikt zoals beschreven in hoofdstuk 6. Als je als mentor, begeleider,
  trainer, coach moeite hebt met het onthouden van namen kan een plat-
  tegrond of foto's met de namen heel handig zijn. Op deze manier laat je
  merken dat je iedereen graag goed wilt leren kennen en dat eenieder er
  voor jou toe doet. Je kunt ook nog uitleggen waarom je dit belangrijk
  vindt.
- Een werkelijk en hartelijk welkom bij binnenkomst is heel belangrijk.
  Spreek jongeren persoonlijk aan en zorg voor oogcontact. Wees oprecht
  blij dat de jongere er is; je bent belangrijk en je doet ertoe! Je ontvangt ze
  daadwerkelijk in jouw ruimte. Door persoonlijk contact met ze te maken
  maak je als mentor, begeleider, trainer, coach door dit gedrag alleen al
  duidelijk op welke manier je met hen wilt omgaan en hoe je wilt dat ze
  met elkaar omgaan.
- Aan het begin en na afloop even een praatje met ze maken. Veel jongeren vinden het fijn als ze iets over zichzelf bij jou kwijt kunnen. De tijd
  die je hierin investeert, verdient zich dubbel en dwars terug in een soe-
  peler les of bijeenkomst.
- Veiligheid bieden. Dat kan bijvoorbeeld door op een positieve manier de
  leiding te nemen.

- Duidelijk zijn in wat je van ze wilt. Dat geeft de meeste jongeren rust: ik weet wat er van mij wordt verwacht.
- Interesse tonen. Echt laten merken dat je sterk geïnteresseerd bent in wat jongeren raakt en waar ze voor gaan. Dat kan gaan om sport, muziek, kleding, vrije tijd en dergelijke.
- Concrete taken aanbieden, waarbij duidelijk is, wat daarvan het resultaat moet zijn. Alles wat lukt, geeft immers een positief gevoel.

Contact
Als je daadwerkelijk contact maakt met de klas/groep/team kun je in deze fase als mentor, begeleider, trainer, coach veel invloed uitoefenen op de uiteindelijke sfeer in een groep/team. Je maakt deel uit van de groep *en* je geeft er leiding aan. Als je dat doet op een manier die *verbindend* is, laat je zien hoe je met iedereen om wilt gaan en geef je een voorbeeld van de manier waarop zij met elkaar kunnen omgaan.

2. Socialisatie
Aan de hand van hun ervaringen in de vorige fase wordt de sociale ruimte verdeeld. De 'pikorde' ontstaat en de verschillende rollen in de groep worden ingevuld.
Jongeren doen dat op uiteenlopende manieren. Bijvoorbeeld:
- Uitproberen wat in de groep leuk wordt gevonden en wat niet.
- De sociale ruimte veroveren door confronterende opmerkingen te maken. Hoe ver kan ik in deze groep gaan?
- De sociale ruimte veroveren door veel gesprekjes aan te gaan, vooral met tot dan toe onbekende groepsleden.

In deze fase kunnen er emotionele reacties op de aangeboden taken komen. Jongeren die in deze fase de confrontatie zoeken, zeggen dan bijvoorbeeld: 'Dat doe ik niet ...' Anderen kunnen in deze fase de draak steken met een opdracht om de lachers op hun hand te krijgen. De diverse rollen worden vaak herkend aan gedragskenmerken die het werken lastig kunnen maken. Daardoor worden de rollen dikwijls negatief getypeerd. Wanneer je jongeren echter aan de hand van negatieve typeringen benadert, heeft dat meestal een averechts gevolg: de kans bestaat dat het ongewenste gedrag juist wordt bevestigd. Jongeren voelen haarscherp aan hoe je over ze denkt. Hoe moeilijk dat soms ook is, het is effectiever om jongeren aan te spreken op hun kwaliteiten die ze in hun rol laten zien en ze uit te dagen stappen te zetten waarbij zij en de gehele groep kunnen groeien en zich ontwikkelen. Hieronder staat een aantal voorbeelden van dergelijke typeringen. Vervolgens staan enkele mogelijkheden aangegeven om een positieve ontwikkeling mogelijk te maken, zowel voor de individuele jongere als voor de hele groep.

De 'positieve' leider

Hij is meestal sociaal en gericht op het krijgen van een goede bijeenkomst. De positieve leider durft onafhankelijke posities in te nemen. Over het algemeen luisteren de anderen naar hem. Mogelijk ontstaat er een machtsstrijd met een negatieve leider. Daardoor kan blokvorming in de klas/groep/team ontstaan.

Aanspreken op kwaliteit

De kenmerkende kwaliteit van de leider is *dat* hij leiding kan geven. Je kunt dit honoreren door hem regelmatig (maar niet altijd!) de leiding te geven over bepaalde projecten of taken die moeten worden uitgevoerd. Geef hem ook regelmatig feedback op wat daarbij goed gaat en welke mogelijkheden er zijn om te verbeteren (bijvoorbeeld op welke manier hij anderen ruimte kan bieden).

De 'negatieve' leider

Stelt zich vaak antileraar op. Dit type is uit op macht en gaat daarom graag een machtsstrijd aan, ook met de mentor, begeleider, trainer of coach. Anderen luisteren ook naar deze jongere. Waar jongens hun heerschappij vestigen en handhaven door vaak gebruik te maken van fysieke middelen en intimidatie, maken meisjes meer gebruik van roddelen. Dat kan op een heel subtiele manier, die lang niet altijd door mentoren, begeleiders, trainers of coaches wordt opgemerkt. Vaak verzamelt een *Queen bee* een hofdame en vazallen om zich heen om informatie te verzamelen met het doel andere jongeren onder druk te zetten of buiten te sluiten. De anderen voelen zich ten opzichte van een negatieve leider onveilig en durven zich vaak niet vrijuit te uiten uit angst voor afkeurende reacties van de leider en zijn of haar gevolg. Voor de inrichting van de bijeenkomsten is het heel belangrijk dat dit type geen kans krijgt dit gedrag te vertonen.

Aanspreken op kwaliteit

Ook hier is de kenmerkende kwaliteit van de leider *dat* hij of zij leiding kan geven. Als mentor, begeleider, trainer of coach kun je dit type voor je winnen door hem de leiding te geven over een project dat aansluit bij zijn of haar belangstelling.

In de eerste fase van een dergelijk project vergt dat van jou veel tijd om de veiligheid van de anderen in de groep te waarborgen. Het gaat erom dat de interacties tussen de leider en zijn groepsgenoten intensief over het project gaan, waarbij de anderen op een positieve manier van elkaars bijdrage afhankelijk worden. Regelmatig feedback geven is essentieel, vooral op wat daarbij goed gaat en pas in een later stadium duidelijk maken welke mogelijkheden er zijn om te verbeteren. Vaak zie je na verloop van tijd een negatieve leider door alle positieve aandacht langzaam transformeren in een positieve leider: het patroon van bevestiging door feedback op negatief gedrag wordt vervangen door het honoreren van positief gedrag. In veel gevallen is het ook noodzakelijk om in een een-op-een-gesprek met de jongere te onderzoeken welke onderliggende factoren bepalend zijn voor het ongewenste gedrag.

De 'clown'

De clown zoekt op een grappige manier aandacht door leuke opmerkingen te maken of gek te doen. Een clown is opvallend aanwezig: je kunt een clown niet over het hoofd zien. Groepsleden lachen vaak graag om de clown: een clown zorgt voor ontspanning. Terwijl sommigen geïrriteerd kunnen reageren: 'Daar heb je hem weer.' De reactie van anderen hangt af van het moment waarop de clown de lach oproept of de clown op dat moment werkelijk grappig wordt gevonden.

Aanspreken op kwaliteit

De kwaliteit van de clown is uiteraard humor: de kunst om anderen te laten lachen. Daarmee breekt de clown de spanning en zorgt voor een moment van ontspanning in de groep. Een andere kwaliteit van veel clowns is 'timing'. De meeste clowns voelen perfect het moment aan om een grap te plaatsen of iets leuks te doen. Alleen is dat 'juiste moment' lang niet altijd het juiste moment voor de mentor, begeleider, trainer of coach: heb je net alle aandacht en dan komt de clown met een grap. Weg aandacht. Van ontspanning is bij de mentor, begeleider, trainer of coach op die momenten dus lang niet altijd sprake. Er ontstaat juist extra spanning: hoe krijg ik de aandacht van de groep weer terug? In de kwaliteiten van de clown liggen voor de mentor, begeleider, trainer of coach ook kansen. Wanneer je een clown aanspreekt op zijn of haar gevoel voor timing, kun je een deal sluiten: wanneer past een grap perfect in de les en op welke momenten moet een grap achterwege blijven? Juist omdat een clown heel alert is op de groep en deze alertheid nu ook gaat gebruiken in samenwerking met de mentor, begeleider, trainer of coach, is een clown vaak al snel in staat grappen te maken die ook voor de mentor, begeleider, trainer of coach op het juiste moment komen. Als mentor, begeleider, trainer of coach is het belangrijk om op die momenten ook zelf positief op de grap te reageren en op die manier het positieve gedrag te bevestigen.

Mocht een clown op een ander moment nog even in de fout gaan dan kan het helpen door op dat moment zelf iets te doen waarmee je de aandacht van de groep naar je toetrekt en op die manier de clown overtreft. Bijvoorbeeld door hard genoeg te roepen: 'Hé, kijk eens wat er hier gebeurt!' Daarbij loop je naar een plek zo ver mogelijk bij de clown vandaan. De clown krijgt dan zo min mogelijk aandacht. Maak liever geen corrigerende opmerkingen, want daarmee krijgt de clown immers toch de aandacht die hij zo graag wil. Je negeert de clown op dat moment totaal. Zodra de clown daarna een grap op een juist moment maakt, geef je weer positieve aandacht. Op die manier bevestig je het gewenste gedrag van de clown.

De 'saboteur'

De saboteur is iemand die min of meer op de achtergrond en vaak heel onopvallend de les/training lijkt te saboteren. Regelmatig fungeert de saboteur als splijtzwam, waardoor er rivaliserende groepjes ontstaan. De saboteur zoekt op een negatieve manier aandacht. Anderen kunnen gaan meedoen met de sabotageacties. Er zijn ook vaak groepsleden die ervan gaan balen als ze met de negatieve gevolgen van de sabotageacties worden geconfronteerd.

Aanspreken op kwaliteit

De saboteur heeft als kwaliteit een goed observatievermogen en niet zelden ook een haarscherp gevoel voor het effect van bepaald gedrag. Dit type is dan ook goed in staat om een actieve rol te vervullen bij het signaleren van zaken die niet helemaal goed verlopen. Als mentor, begeleider, trainer of coach kun je hem dan ook regelmatig vragen feedback op het lesproces te geven en vervolgens naar mogelijke oplossingen. Dat lukt pas als je als mentor, begeleider, trainer of coach dit type werkelijk accepteert als persoon en zorgt voor veiligheid. Dat betekent overigens niet dat je het ongewenste gedrag daarmee accepteert. Een jongere die saboteert, vooral degene die de vermoorde onschuld speelt en heftig ontkent dat hij ook maar iets verkeerd heeft gedaan, is in wezen vaak bang. Hij kan moeite hebben om met gevoelens van schaamte en kwetsbaarheid om te gaan. Vandaar dat het aangaan van een verbinding in een sfeer van veiligheid juist bij deze jongere zo belangrijk is. Daarmee kun je uit de negatieve spiraal van sabotage en daaropvolgende zinloze discussies over schuld en straf blijven.

De 'zeurpiet'

De zeurpiet stelt vragen die op dat moment niet altijd ter zake doen. Hij wil onmiddellijk antwoord en neemt er geen genoegen mee als hem het antwoord niet bevalt. Dan blijft hij vragen stellen. Ook over corrigerende opmerkingen over zijn gedrag gaat hij graag discussies aan die hij wil winnen. Andere groepsleden reageren vaak negatief op een zeurpiet. In het beste geval negeren ze de zeurpiet en gaan onmiddellijk over op sociaal gedrag (gezellig kletsen onderling). Zodra de zeurpiet een vraag stelt of een opmerking maakt, is de aandacht voor de les weg. Ook de zeurpiet is uit op aandacht en is niet zelden onzeker over de eigen kwaliteiten. In een aantal gevallen gaat het om jongeren die ook sociaal niet zo handig zijn en niet goed aanvoelen welke sfeer er in de groep heerst.

Aanspreken op kwaliteit
De kwaliteit van de 'zeurpiet' is zijn vasthoudendheid. Vaak zijn het jongeren die zich heel goed op een taak kunnen concentreren en alles om zich heen niet of nauwelijks opmerken. Daardoor heeft het ook weinig zin om een 'zeurpiet' te vragen daarop te letten. In zijn geval is dat hetzelfde als een eend vragen in een boom te klimmen. Dit type jongere heeft behoefte aan hele simpele en duidelijke gedragslijnen: 'Dit is je taak; je vragen noteer je zolang op een blaadje en over x minuten kom ik bij je langs om je met je vragen te helpen. Als je met deze taak niet verder kunt, dan ga je eerst die andere taak doen.' Het gaat erom dat hij weet dat hij de aandacht krijgt die hij nodig heeft, maar dan wel op de momenten die de mentor, begeleider, trainer of coach bepaalt. Wanneer sprake is van mogelijke faalangst dan kan in overleg met de jongere op school een diagnostische test worden afgenomen. De kern van de aanpak van jongeren die een rol vervullen met ongewenste consequenties voor het functioneren van de groep, ligt dus in het ombuigen van hun gedrag door gebruik te maken van hun specifieke kwaliteiten.

Het begeleiden van een groep tijdens de socialisatiefase
In het algemeen kun je als mentor, begeleider, trainer of coach de groep in de socialisatiefase van het groepsproces op de volgende manieren begeleiden:
1. Duidelijk leidinggeven door op een positieve manier expliciet aan te geven wat je van de jongeren verwacht en wat jij als mentor, begeleider, trainer of coach wilt.
2. In kringgesprekken de normen en waarden bespreken die belangrijk zijn om als groep goed te kunnen functioneren en daarover duidelijke

afspraken maken. Daarnaast moet voor iedereen helder zijn wat de (school)regels zijn en dat daarover niet te discussiëren valt.

3. Veel tijd steken in praten met jongeren, zowel individueel als met de hele groep, met als doel dat jij en de groep, maar ook de groepsleden onderling elkaar goed leren kennen. Bovendien kun je ze zo helpen de verschillende rollen in de groep, zoals hierboven beschreven, op een positieve manier in te vullen.

4. Het bewaken van de onderlinge relaties door deze bespreekbaar te maken en te zorgen dat de groepsleden zich onderling veilig voelen. Belangrijk is daarbij te letten op *wat* ze tegen elkaar zeggen en *hoe* ze dat doen. Door van iedereen heel regelmatig kwaliteiten te benoemen en daarbij te benadrukken wat goed gaat, gaan jongeren steeds beter zien welk gedrag je van hen verwacht. Dat kun je doen aan de hand van oefeningen waarbij ze elkaar steeds beter leren kennen, door communicatieoefeningen en door te oefenen met het geven en ontvangen van feedback.

5. Taken geven die op samenwerken zijn gericht; veel tijd en energie steken in het bespreken van wat er daarbij goed gaat en wat er beter kan. Bovendien kunnen de groepsleden hierbij verschillende rollen vervullen die hen in staat stellen om hun kwaliteiten en vaardigheden in het samenwerken te ontwikkelen.

Veiligheid

Als een groep de eerste twee fasen niet goed doorloopt, ontstaat er vaak een onveilige sfeer. De volgende fase, confrontatie, waarin meer conflicten zullen optreden, levert dan voor zowel de mentor, begeleider, trainer of coach als de jongeren erg onaangename situaties op, die het gevoel van onveiligheid nog verder vergroten. Om die reden is alertheid op de onderlinge veiligheid tijdens de eerste twee fasen van groot belang. Wanneer je er als mentor, begeleider, trainer of coach in slaagt aan de hand van de bovenstaande vijf punten de groep op een positieve manier door deze fasen te loodsen, wordt de kans op een veilige sfeer en daarmee op een positief verloop van de volgende fasen veel groter.

---

3. Confrontatie

Door onderlinge conflicten worden de ongeschreven regels en normen in de groep vastgesteld. Jongeren zoeken naar manieren waarop ze met elkaar, met hun onderlinge verschillen en met de aangeboden taken omgaan. Ook in deze fase zijn de vijf aandachtspunten uit de vorige fase, voor een mentor, begeleider, trainer of coach belangrijk om te komen tot een positieve en coherente groep jongeren. In deze fase ligt daarbij de nadruk heel sterk op de onderlinge relaties en de relatie van de groepsleden met de mentor, begeleider, trainer of coach. Om hiermee goed te leren omgaan kun je samen met de groepsleden *gedragscodes* opstellen, ten aanzien van de normen en waarden waaraan de groep zich gaat houden.

Een gedragscode:

- is wederkerig;
- kent geen exacte omschrijving;
- laat ruimte voor een groepseigen invulling;
- doet een beroep op de eigen verantwoordelijkheid van ieder groepslid;
- is positief geformuleerd;
- wordt in samenspraak vastgesteld;
- doet recht aan de drie basisbehoeften van effectief leren en ontwikkelen:
  1. Behoefte aan zich competent voelen: 'Ik kan iets.'
  2. Behoefte aan autonoom handelen: 'Ik ben iemand.'
  3. Behoefte aan relatie: 'Ik doe ertoe.'

Met de groep kun je dan aan de hand van een kringgesprek concreet maken wat dat in hun context en praktijk betekent. Praten met jongeren over gedragscodes kost tijd, maar dat verdient zich uiteindelijk terug in een goed leer-, werk- en ontwikkelklimaat. Een groep waarbinnen negatieve ongeschreven regels gelden, is schadelijk voor het welbevinden en de prestaties van de jongeren en voor jezelf als mentor, begeleider, trainer of coach.

Verboden hebben dan nogal eens een negatief effect: ze bevestigen de negatieve situatie. Bijvoorbeeld: Verboden als 'Er mogen geen scheldwoorden worden gebruikt, er mag niet worden gevloekt en de volwassenen spreek je aan met meneer of mevrouw' kunnen jongeren uitdagen juist het tegenovergestelde te doen, waarbij straf in de groep statusverhogend werkt. Daarmee is de negatieve cirkel rond. Een alternatief kan zijn: 'Je spreekt een ander aan zoals je zelf ook aangesproken wilt worden.'

Het begeleiden van een groep tijdens de confrontatiefase
Wanneer je als mentor, begeleider, trainer of coach tijdens de confrontatiefase met de groep werkt aan gedragscodes zoals hierboven beschreven, dan is het volgende van belang:

- Geef zelf het goede voorbeeld: laat in je eigen gedrag zien wat je wilt. Zodra je jongeren 'met gelijke munt terugbetaalt' – hoe verleidelijk ook – verlies je moreel gezag.
- Observeer processen en praat met jongeren over wat er in de groep gebeurt. Neem hierin duidelijk de leiding.

- Spreek jongeren (en collega's) rechtstreeks aan op het naleven van normen.
- Bewaak grenzen: wees duidelijk in wat je wel en niet wilt en waarom.
- Lever maatwerk: als je wilt dat jongeren leren omgaan met verschillen is het belangrijk dat jij als mentor, begeleider, trainer of coach laat zien hoe je de onderlinge verschillen van iedereen respecteert. Door wat je doet, kun je laten zien dat iedereen gelijkwaardig is en gelijkwaardig wordt behandeld, maar niet noodzakelijkerwijs iedereen op dezelfde manier.
- Wees authentiek. Je hoeft als mentor, begeleider, trainer of coach ook niet altijd op ieder moment hetzelfde te zijn. De ene keer kun je meer hebben dan de andere. Op sommige momenten wil je dat het echt stil is, terwijl dat op andere momenten minder noodzakelijk is. Daarbij komt dat jij een ander mens bent dan je collega's. Dat kunnen jongeren (leren) hanteren zolang je daar op elk moment duidelijk in bent.

4. Stabilisatie

In de stabilisatiefase ontstaat groepscohesie: de groep stabiliseert zich en de rollen en gedragscodes liggen min of meer vast. Er zijn vier soorten groepen te onderscheiden op basis van twee dimensies: de mate van samenhang in de groep en de motivatie ten opzichte van de aangeboden taken (zie figuur 4.3). Daar waar het in groep A fijn lesgeven is en er ook in groep B nog veel mogelijk is, kan lesgeven in groep D al een stuk lastiger zijn. Groep C in zijn meest extreme vorm kan er zelfs voor zorgen dat je er als mentor, begeleider, trainer of coach tegenop gaat zien om daar nog les aan te geven.

Hoewel transformeren naar een groep A in deze fase lastig kan zijn, is het zeker wel mogelijk. Groepen B, C en D ontstaan als de eerste fasen van de groepsvorming niet goed zijn doorlopen. Vandaar dat dit zo belangrijk is en er veel aandacht aan besteed moet worden. Dat neemt niet weg dat het toch kan voorkomen dat er een groep B, C of D ontstaat.

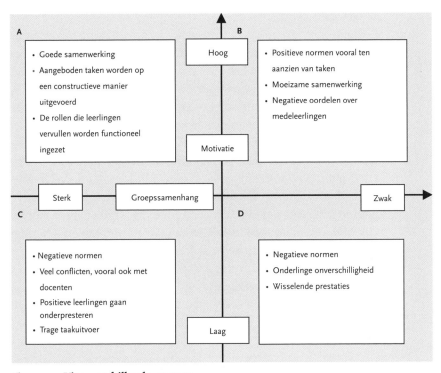

Figuur 4.3 Vier verschillende groepen

Het begeleiden van een groep tijdens de stabilisatiefase
In deze fase verschilt de rol van de mentor, begeleider, trainer of coach per groep. Het is dan vooral van belang om in de gaten te houden hoe de veiligheid, de resultaten en de motivatie zich binnen de groep ontwikkelen. Hierover zullen regelmatig kringgesprekken nodig zijn.

Groep B
Opdrachten waarbij moet worden samengewerkt zijn hier erg belangrijk. Aangezien samenwerken niet vanzelfsprekend is in deze groep, is het van belang om vooraf concreet aan te geven welke vaardigheden worden geoefend en waarom. Na afloop van de opdracht wordt telkens nabesproken wat er gelukt is en wat beter kan. Daarbij is het belangrijk dat de groepsleden elkaar positieve tips geven. Voorbeelden van vaardigheden zijn: verhelderende vragen stellen, 'hoorbaar' luisteren, werk verdelen en tijd bewaken. Wanneer je als mentor, begeleider, trainer of coach expliciet laat benoemen wat de samenwerking heeft opgeleverd, gaan jongeren ook de waarde daarvan inzien.

Groep C en D

In deze groepen moet eerst gewerkt worden aan de negatieve normen en het herstellen van een veilige sfeer. Dat kan aan de hand van een kringgesprek. Tegelijkertijd is het van belang dat je als mentor, begeleider, trainer of coach duidelijke grenzen stelt aan wat er wel en niet kan. Wanneer je daarbij groepsleden uitnodigt om te vertellen hoe zij een en ander beleven, wat hun motieven zijn en wat ze *wel* zouden willen, kun je ze leren *hoe* ze dat zo onder woorden kunnen brengen, dat een ander zich niet aangevallen hoeft te voelen, maar geneigd is naar hen te luisteren. Belonen van positief gedrag door positieve feedback is hier vaak effectiever dan straffen. Tegelijkertijd blijven sancties noodzakelijk bij serieus grensoverschrijdend gedrag. In die gevallen is een corrigerend gesprek daarna een heel belangrijk middel om het noodzakelijke contact tussen jou en het groepslid weer te herstellen en hem te helpen alternatief gedrag te ontwikkelen. Op deze manier is een groep C in een groep B om te buigen. Als de sfeer voldoende veilig en positief is, kan daarna (en gedeeltelijk tegelijkertijd) de ontwikkeling naar een groep A worden ingezet zoals hierboven is beschreven.

Hoewel de aanpak in de groepen C en D overeenkomt, is de onveiligheid in een groep C vaak veel groter dan in een groep D. In een groep C kan de druk op het individueel groepslid om mee te doen met het negatieve gedrag erg groot zijn. Jongeren zijn te bang om zich aan de groepsnorm te onttrekken. Het herstellen van de veiligheid heeft dan een hoge prioriteit. Het is soms moeilijk voor een mentor, begeleider, trainer of coach om niet meegesleurd te worden in de negatieve spiraal en terecht te komen in een sfeer van repressie en strafinflatie. Toch heeft deze groep veel aandacht voor de onderliggende gevoelens van onvrede nodig. Er is een essentiële stap vereist om negatieve leiders te helpen positieve leiders te worden.

5. Afscheid

Het naderende einde van de groep gaat gepaard met een soort rouwproces. Je kunt daar als mentor, begeleider, trainer of coach op de volgende manieren mee omgaan:

- Aandacht geven aan wat is geweest: de goede momenten, bijzondere gebeurtenissen en leermomenten. Belangrijk is de groepsleden zich daarover uit te laten spreken. De afscheidsoefeningen uit hoofdstuk 6 zijn daarvoor geschikt.
- Aangeven wat je in de afzonderlijke groepsleden hebt gewaardeerd en wat je hen voor de toekomst toewenst.

Ook het afsluiten van een periode tijdens het jaar kan een belangrijk moment zijn om terug te blikken. Er kunnen dan afspraken met elkaar worden gemaakt over zaken die in de komende periode nog ontwikkeld dienen te worden. Bij de volgende methoden, methodieken, aanpakken en dergelijk geldt zoals hiervoor al meerdere malen beschreven dat er basisveiligheid nodig is. Hoe je deze kunt verkrijgen is ook eerder uitvoerig beschreven. Verder kunnen oefeningen, zoals onder andere uit hoofdstuk 6, hierbij helpen. Een aantal methoden, methodieken, aanpakken wordt in de volgende paragrafen globaal beschreven. Mocht je als school, instelling of (sport)vereniging besluiten om er één in te voeren dan verwijs ik daarvoor naar verschillende boeken en websites.

4.4.6 PESTPROTOCOL EN PEERMEDIATION

Er zijn veel scholen, instellingen en enkele (sport)verenigingen die een pestprotocol in hun plannen hebben opgenomen. In zo'n protocol staat vooral welke stappen er worden gezet bij pesterijen. Verder staat erin met wie dit wordt gedaan, bijvoorbeeld: met en door wie wordt er met elkaar gesproken en welke volgende stap is passend en wie gaat wat doen? Enzovoort. Een pestprotocol is belangrijk omdat het jongeren en volwassenen in een school, instelling of (sport)vereniging duidelijkheid geeft over hoe men wil dat er met elkaar wordt omgegaan en hoe er wordt gehandeld bij pesten. Dit geeft veiligheid en vertrouwen. Het protocol zorgt voor samenwerking tussen volwassenen, de pester(s), gepeste(n), meelopers, de stillen en ouders. Deze vorm van samenwerken kom je bij 4.4.10 tegen als de vijfsporenaanpak. Alle gebeurtenissen en afspraken worden vastgelegd, zodat het verloop gevolgd kan worden, wat helderheid voor alle partijen verschaft. Als een school, instelling of (sport)vereniging een pestprotocol in het beleidsplan heeft opgenomen, maakt het hierdoor zichtbaar dat pesten niet is toegestaan en dat er anders direct wordt opgetreden. Voor pesters is zo helder dat hun gedrag risico met zich meebrengt. Enkele voorbeelden van wat je in een pestprotocol kunt opnemen:

– Aan allen (jongeren, volwassenen en ouders) wordt het belang van een pestprotocol uitgelegd.
– De school, instelling of (sport)vereniging beschrijft de visie en het beleid met betrekking tot pesten. Bijvoorbeeld: wij zijn alert en handelen direct op pestgedrag. Wij zorgen voor een veilig leer/werkklimaat voor alle aanwezigen en we leren jongeren hoe ze ook met elkaar om kunnen gaan. Bij pesten wordt direct het protocol gevolgd.

– Beschrijf wat de school, instelling of (sport)vereniging onder pesten verstaat.
– Informeer iedereen over de verschillende rollen bij pesten en welke signalen op pesten kunnen wijzen.
– Eén gram preventie is beter dan duizend kilo begeleiding/therapie!
– Zorg voor een (sociaal-emotioneel) leerlingvolgsysteem, dat je kunt gebruiken bij de aanpak tegen pesten.
– Maak afspraken, visie en beleid over dagelijkse aandacht voor een positief en veilig werk/leerklimaat.
– Maak afspraken over hoe je wilt dat mensen met elkaar omgaan. Maak ze overal zichtbaar en handel er consequent naar.
– Informeer eenieder over het stappenplan bij pesten.
– Breng iedereen op de hoogte van de consequenties van pestgedrag.
– Maak duidelijk wie de contactpersoon en eerste aanspreekpunt zijn bij pesterijen.
– Informeer iedereen en in het bijzonder ouders over signalen en wat eenieder kan en heeft te doen.
– Verwijs iedereen die meer informatie wil naar publicaties en websites.

Voor meer informatie verwijs ik naar:
www.pestweb.nl/aps/pestweb/voor+leerkrachten/Pesten+in+mijn+klas/
Pesten+voorkomen/Pestprotocol.htm
Hier vind je ook voorbeelden van pestprotocollen.

Peermediation

Na het pestprotocol kan peermediation een volgende stap zijn om pesten duidelijk aan te pakken in je school, instelling of (sport)vereniging. Meningsverschillen, conflicten en ruzies zijn van alle tijden en zullen er altijd blijven. We ervaren conflicten meestal als onprettig, maar ze kunnen ook veel duidelijkheid en helderheid opleveren. De meeste conflicten lossen zichzelf op. We kennen de voorbeelden: twee meiden die elkaar eerst verbaal van alles toewensen en een minuut later samen over het schoolplein lopen. Het kan ook gebeuren dat het zich niet vanzelf oplost en dat de vlam in de pan slaat en het conflict uit de hand loopt. Dit heeft meestal een negatief effect op de sfeer in een groep/klas/team. Het kan zelfs zo ver gaan dat dit de veiligheid in gevaar brengt. Conflicten kun je niet vermijden, wel dien je te handelen bij een conflict. De meest simpele manier van handelen is dat je ziet dat de twee meiden na hun conflict weer samen over het schoolplein lopen. Maar je moet dit wel signaleren. Als een conflict niet wordt opgelost, zul je als school, instelling of (sport)vereniging niet voldoende hebben aan signaleren alleen. Onopgeloste conflicten leiden vaak tot onrust, concentratie- en motivatieproblemen, spijbelen, ziekteverzuim enzovoort. Op zo'n moment zou peermediation je kunnen helpen. Dit is een bijzondere vorm van conflictbemiddeling, waarbij jongeren met hulp van één of twee andere jongeren samen tot een oplossing komen. In de praktijk blijkt namelijk dat zij eerder en beter naar leeftijdsgenoten luisteren dan naar volwassenen. Daar komt bij dat leeftijdsgenoten vaak dezelfde taal spreken en dezelfde ervaringen hebben, wat de communicatie ten goede komt. Jongeren kunnen vaak meer dan we denken. Dikwijls blijkt dat als je jongeren verantwoordelijkheid geeft ze die meestal prima kunnen dragen.

Van Dale geeft als definitie van peermediation: conflictbemiddeling door gelijken. Hier wordt met gelijken, jongeren van ongeveer dezelfde leeftijd bedoeld. Wanneer je conflicten samen oplost, zijn conflicten behulpzaam om de groei naar betekenisvolle volwassene te bevorderen. Als je van plan bent om peermediation in jouw school, instelling of (sport)vereniging een plek te geven, dan moet je jongeren en een aantal volwassenen opleiden. Volgens een uniforme methode leren zij dan vaardigheden om op een constructieve manier als bemiddelaar (mediator) onderlinge ruzies en conflicten op te lossen. Peermediation is het meest succesvol in de bovenbouw van het basisonderwijs (groep 6, 7 en 8) en de onderbouw van het voortgezet onderwijs.

Als jongeren tussen de tien en vijftien jaar hebben geleerd hoe ze zelf conflicten kunnen oplossen, dan is peermediation daarna meestal niet meer nodig. In de praktijk zie ik vaak dat een zestien- of zeventienjarige nog wel als peermediator functioneert voor jongeren uit lagere groepen. In een school, instelling of (sport)vereniging kan een opgeleide volwassene nieuwe jongeren methodisch opleiden tot peermediator. In de opleiding krijgt de volwassene hiervoor materiaal en heeft hij de benodigde vaardigheden ontwikkeld. Verder is de volwassene ervoor verantwoordelijk dat peermediation ingebed wordt in de organisatie en er beleid en visie aan gekoppeld is of wordt. Dat betekent dat de school, instelling of (sport)vereniging na de basisopleiding van jongeren en enkele volwassenen, geen externe opleiders meer nodig heeft. Er zijn dan interne trainers/opleiders die het proces en het product kunnen continueren. Bij te zware problemen kunnen de jongeren altijd terecht bij een volwassene die daarvoor is opgeleid. Hierdoor kunnen peermediators niet overbelast raken en is er altijd iemand bij wie zij hun gevoelens en gedachten kwijt kunnen. Bij een conflict wordt er volgens een vaste procedure gehandeld. Bij Peermediation:

– Is er respect.
– Luister je naar elkaar en laat je elkaar uitspreken.

– Is alles wat wordt besproken vertrouwelijk; de betrokkenen bepalen wat er naar buiten komt.
– Wordt er met de belangen van alle betrokkenen rekening gehouden.
– Kom je samen tot oplossingen en kies je samen de beste oplossing.
– Zitten alle betrokkenen en de twee peermediators aan tafel.
– Spreken alle betrokkenen naar elkaar uit dat ze zich honderd procent inzetten om het conflict op te lossen.
– Wordt er niet gescholden (verbaal geweld) en is er geen fysiek geweld.
– Krijgt iedereen de ruimte om zijn verhaal te vertellen, terwijl de anderen luisteren.
– Krijgen de betrokkenen zo meer begrip voor elkaar.
– Spreekt iedereen elkaar rechtstreeks aan over gevoelens en gedachten ten opzichte van de ander.
– Wordt er samen naar oplossingen gezocht en wordt samen een aanpak gekozen. Deze komt in een contract te staan dat door beide partijen wordt ondertekend.
– Wordt er een nieuwe afspraak gemaakt voor over een week.
– Vertellen de betrokkenen in de volgende ontmoeting hoe die week is verlopen en waar nog irritatie zit en wat er nog moet veranderen.
– Begeleiden de peermediators het totale traject en sluiten het uiteindelijk af.

Voor meer informatie verwijs ik naar:
deveiligeschool.blogse.nl/log/peermediation of www.halt.nl

4.4.7 HERSTELRECHT EN NON-PESTCONTRACTEN

De roots van *Restorative justice* (Herstelrecht) liggen bij de wijze waarop de Maori's in Nieuw-Zeeland omgaan met conflicten. Herstelrecht is niet gericht op straffen, maar op het herstellen van schade. Hierbij zijn vaardigheden als samenwerken, luisteren, feedback ontvangen en willen leren van fouten erg belangrijk. Het is gebaseerd op het eenvoudige principe dat een groep mensen verder moet met elkaar. Een conflict heeft de groep ernstige schade toegebracht en alles moet er nu op gericht zijn het evenwicht en de harmonie te herstellen. Daar zijn tijd en extra inspanning voor nodig. Bij de Maori's is het belangrijk dat de gemeenschap in tact blijft en daar heb je ieder lid van de gemeenschap voor nodig. Je kunt dus geen leden uit- of buitensluiten. In Nederland probeert onder andere ECHO (Expertise Centrum voor Herstelrecht in het Onderwijs) herstelrecht te verspreiden bij professionals die met jongeren werken.

Herstelrecht richt zich op allen die deel uitmaken van een school, instelling of (sport)vereniging: jongeren, leraren, mentoren, begeleiders, coaches, trainers, schoolleiding, bestuur en ouders. Herstelrecht is veel meer dan een snelle reactie op conflicten en op grensoverschrijdend, agressief en pestgedrag. Het is een grondhouding, een attitude hoe je naar dit gedrag kijkt, naar conflicten en hoe je er vervolgens mee omgaat.

Bij pesten wordt er iets beschadigd. Deze beschadiging is in ieder geval emotioneel en relationeel, maar vaak ook materieel. Met herstelrecht krijgt de dader de gelegenheid deze schade te herstellen. Als er na het herstel afspraken – bijvoorbeeld in de vorm van een non-pestcontract – gemaakt zijn, is daarmee het (pest)probleem opgelost. Uiteraard worden er ook afspraken gemaakt over het vervolg en wat te doen als er toch weer opnieuw gepest wordt. De dader wordt niet meer met de nek aangekeken. Voor het slachtoffer is de veiligheid hersteld en deze weet ook dat de hele organisatie getuige is geweest van de toepassing van het herstelrecht. Alleen sorry zeggen is niet voldoende en voldoet dan ook niet aan de procedure van herstelrecht. Het sorry zeggen moet waarneembaar zijn in ander gedrag. De meeste mensen willen niet in eerste instantie straffen, omdat zij weten dat dit het probleem vaak niet oplost. Soms is er echter zoveel onrecht ervaren en is de relatie zo beschadigd dat straffen onvermijdelijk is. Herstelrecht zal het straffen nooit volledig kunnen vervangen. Vandaar dat in Nieuw-Zeeland herstelrecht bestaat naast de justitiële aanpak.

Alle mensen hebben er baat bij als er in hun werk-, leer-, leefomgeving herstelgericht gewerkt wordt. Dan richt men zich op de relatie van jongeren met andere jongeren, de relatie van volwassenen met jongeren, relaties van volwassenen onderling in een organisatie, de relatie van de ouder en het kind met de school, instelling en (sport)vereniging en de relatie met de leefomgeving. Als je als organisatie kiest voor herstelrecht dan kies je per definitie voor een oplossingsgerichte benadering, waarbij respect het vertrekpunt is. Het gaat dan om respect voor jezelf, respect voor de ander en respect voor de context.

Binnen herstelrecht wordt er volgens een bepaald programma en procedure gewerkt. Een van de onderdelen is het werken met gesprekskaartjes met herstelvragen. De kaartjes bestaan uit twee kanten: op de ene kant staan vragen voor de persoon die de schade heeft aangericht en op de andere kant vragen voor het slachtoffer (hem die de schade is aangedaan).

Enkele vragen op de kaartjes zijn:
– Wat is er gebeurd?
– Wat dacht je toen het gebeurde?
– Hoe denk je er nu over?

– Wie hebben schade opgelopen?
– Wat was het ergste voor jou?
– Wat is nodig (wat moet er gebeuren) om dat te herstellen?
(*Bron: Handboek Herstelrecht* en www.kpcgroep.nl)

In de laatste vraag zit geen opdracht maar een uitnodiging. Aan het einde van een goed herstelgesprek heeft de dader voldoende inzicht gekregen en weet hij of voelt hij welke schade is aangericht en wat er moet gebeuren om deze te herstellen. Pas als alle deelnemers bereid zijn zich honderd procent in te zetten, kan herstelrecht slagen. Ook nadat er is gestraft omdat dit noodzakelijk en passend was, kan een herstelgesprek nog veel opleveren voor de toekomst van alle betrokkenen. Herstelgericht werken zit vaak al in de genen van mensen waardoor het voor velen meer een manier van denken is dan een techniek of procedure. Pas op wanneer je als begeleider te emotioneel betrokken bent bij het conflict. Je moet je dan afvragen of je dan wel meerzijdig partijdig het herstelgesprek kunt voeren. Of moet je het stokje voor dit specifieke geval aan een collega doorgeven? Wanneer herstelinterventies snel plaatsvinden, zullen ze steeds minder vaak nodig zijn en zullen de conflicten ook minder groot en heftig worden. Soms zie je dat jongeren, geholpen door de kaartjes, in informele bijeenkomsten samen de conflicten oplossen.

Voor meer informatie over het inrichten van een herstelconferentie, de procedure en het programma herstelrecht verwijs ik graag naar onder andere: www.restorativejustice.nl en www.herstelrechtinhetonderwijs.nl

Non-pestcontract
Dit is een contract dat een jongere met zichzelf sluit en waarin hij de afspraak maakt bepaald gedrag niet meer te vertonen. In een dergelijk contract is opgenomen: het waarom, het doel, de sanctie en de tijdsperiode. Het non-contract is voor meerdere gedragingen mogelijk en dus ook voor pesten. Je kunt non-pestcontracten ook in groepen/teams/klassen gebruiken waarbij jongeren samen met elkaar afspraken maken om bepaald gedrag niet meer te vertonen. Het contract wordt door alle betrokkenen ondertekend. Een mentor, coach, begeleider zal het non-contract ondersteunen en hij doet dit in nauwe samenspraak met mensen die last hebben van het negatieve gedrag van iemand of de groep/team/klas. In de (jeugd)hulpverlening en de psychiatrie wordt al tientallen jaren met non-contracten gewerkt. Denk hierbij een non-blow-, non-suïcide- en non-agressiecontracten. Deze zijn onder andere door Maarten Kouwenhoven in de vorm van non-pest-,

non-spijbel- en non-agressiecontracten, vertaald naar het onderwijs.

De basis van deze non-contracten is dat er achter negatief gedrag meestal een behoefte zit. Als mensen deze behoefte op een schadelijke manier uiten, komen ze in een vicieuze cirkel terecht. Het gedrag leidt tot straffen en dat leidt weer tot een negatieve reactie en zo kan het nog even doorgaan. Wie met non-contracten werkt, zoekt telkens naar manieren waarop de behoefte op een niet-schadelijke manier geuit kan worden. Zo merkt hij dat hij op deze wijze een positieve bijdrage levert aan de sfeer en het groepsproces. Zijn behoefte wordt vervuld en zijn eigengrond zal groter worden evenals zijn arsenaal aan vaardigheden. Hij ervaart dat hij de moeite waard is en op een, voor anderen, prettige manier aan zijn behoeften kan voldoen. Ook met non-contracten zoeken we naar het positieve ondanks dat we eerst beginnen bij het negatieve. We zoeken namelijk naar wat mensen drijft (behoeften) tot dit gedrag. Alleen het gedrag is negatief, behoeften zijn mijns inziens neutraal. Waar we naartoe gaan is het op een positieve manier uiten van behoeften zodat er geen schade bij anderen kan ontstaan.

De contracten worden op vrijwillige basis afgesloten, wat de motivatie om je eraan te houden vergroot en de verantwoordelijkheid legt bij degene die het contract ondertekent. Daar komt bij dat deze zelf ook een sanctie heeft bedacht en beschreven in het contract. De sanctie is altijd iets waar de anderen die last hebben van het negatieve gedrag, voordeel van hebben.

Een voorbeeld: Veel jongeren pesten uit behoefte aan erkenning, gezien worden, aandacht en er toe doen. Ze hebben geleerd dat als ze dit op een negatieve manier doen ze direct deze aandacht krijgen. Met een non-contract kun je afspreken dat iemand alleen maar aandacht krijgt als hij zich positief gedraagt. Dit kan bijvoorbeeld door fijn met anderen samen te werken of een positieve sfeer te creëren of te bewaken. Een paar voorbeelden van sancties zijn: een feestavond organiseren, gedurende één week elke dag een mop vertellen, trakteren op ... enzovoort. Je kunt ook, bij een eerste of licht vergrijp, in eerste instantie een informeel mondeling contract afsluiten. Hierdoor krijgt het eventuele formele schriftelijke contract meer waarde en lading.

Voor meer informatie over non-...contracten en voorbeelden van non-contracten verwijs ik graag naar onder andere: www.schoolenveiligheid.nl, www.herstelrechtinhetonderwijs.nl en www.kpcgroep.nl

4.4.8 PESTSCHRIFT

Deze methode is speciaal ontwikkeld voor jongeren met een zichtbare of onzichtbare beperking. In de praktijk en uit onderzoek blijkt dat jongeren met een handicap of beperking vaker slachtoffer zijn van pesterijen. Deze methode is ook prima geschikt in groepen waarin zo op het oog geen leerlingen met beperkingen zitten. Mijns inziens heeft iedereen een beperking, alleen is deze meestal niet zo zichtbaar. Denk hierbij aan concentratieproblemen, zwak in talen of rekenen, autisme, ADHD, hoog sensitief, faalangstig en dergelijke.

Pestschrift is een onderdeel van de methode *Wat je pest ben je zelf*. Dit programma is ontwikkeld voor met name de bovenbouw van het basisonderwijs, het speciaal onderwijs en de onderbouw van het voortgezet onderwijs. dvd, het pestschrift (BO en VO) en een handleiding. De methode is natuurlijk ook in instellingen en (sport)verenigingen te gebruiken bij jongeren tussen de tien en veertien jaar. Met dit lespakket kun je samen met jongeren pesten op school, instelling of (sport)vereniging tegengaan. Er is speciale aandacht voor jongeren met een zichtbare of minder zichtbare beperking. In de dvd praten jongeren over pesten. Ze vertellen over hun ervaringen en komen met oplossingen.

Voor meer informatie verwijs ik naar: www.watjepestbenjezelf.nl

4.4.9 LEEFSTIJL

De methode *Leefstijl* is gericht op alle leeftijdsgroepen: van peuters, pubers tot jongvolwassenen. Voor iedere leeftijdsgroep is een eigen aanpak ontwikkeld. *Leefstijl* helpt bij het ontwikkelen van sociaal-emotionele vaardigheden. Je moet hierbij denken aan:
– Samen spelen en samen werken
– Praten en luisteren
– Rekening houden met elkaar
– Zelfvertrouwen vergroten
– Het uiten van gevoelens
– Omgaan met verschillen
– Leren conflicten zelf of samen op te lossen
– Omgaan met groepsdruk
– Gezondheid (eten, drinken, hygiëne, slapen, seksualiteit e.d.)
– Burgerschap

Dit zijn allemaal kennis en vaardigheden die kinderen moeten ontwikkelen om goed te kunnen functioneren in groepen en om te kunnen uitgroeien tot een betekenisvolle volwassene. De lessen richten zich op school, thuis, instelling, (sport)verenigingen en daarbuiten. De methode bestaat uit een training voor volwassenen, die vervolgens in hun organisatie met de methode aan de slag gaan. Deze wijze van implementatie is vrij uniek, maar zorgt er wel voor dat professionals een aantal basisvaardigheden krijgen aangereikt om het werken met *Leefstijl* te integreren. Iedere deelnemer krijgt een map en een boek met veel uiteenlopend werkmateriaal en oefeningen binnen diverse thema's en een handleiding. *Leefstijl* is niet alleen maar een trukendoos, maar gebaseerd op een duidelijke visie. Het programma is eclectisch samengesteld op basis van diverse theorieën, therapieën en coachingsvormen, zoals bijvoorbeeld de leerstijlen van Kolb, het werk van Carl Rogers (humanistische psychologie), Eric Berne (Transactionele Analyse), Marcel Rosenberg (geweldloze communicatie), Howard Gardner (meervoudige intelligentie), Spencer Kagan (coöperatief leren) en verder het Johari-venster, het ijsbergmodel, socratisch denken en werken en de social learing theory. Verder heeft Martine Delfos meegewerkt aan de ontwikkeling van veel werkmateriaal. Daarnaast heeft *Leefstijl* een speciaal programma rond het thema pesten, namelijk: Sta op tegen pesten! Dit programma biedt scholen, instellingen en (sport)verenigingen handvatten voor een veilig werk- en leerklimaat om pesten effectief aan te pakken. Sta op tegen pesten! is gebaseerd op de No Blame-methode, die in volgende paragraaf beschreven wordt.

Voor meer informatie verwijs ik naar: www.leefstijl.nl

4.4.10 NO BLAME-METHODE

We weten dat datgene waar je energie in stopt groter wordt. De 'No Blame-methode' stopt vooral energie in wat je wilt bereiken en minder in waar het vandaan komt en wie schuld heeft. In deze methode gaat het de begeleiders, coaches, mentoren, trainers vooral om het vergroten of herstellen van de basisveiligheid. Dit alles zal tot ander gedrag leiden, gedrag waar eenieder beter van wordt waardoor iedereen zich gezien en gehoord voelt. Pestgedrag wordt zo gekanteld. Dit zal maximaal rendement opleveren, zoals in hoofdstuk 3 is beschreven, wanneer je ouders van de betrokken jongeren hiervan op de hoogte brengt. De No Blame-methode bestaat uit zeven stappen, die ik hieronder zal beschrijven. Vaak geven begeleiders, coaches, mentoren, trainers na een paar keer de methode een eigen kleur en hand-tekening, zodat het passend is voor de groep en de begeleiders.

De No Blame-methode is niet alleen geschikt in klassen of groepen met leeftijdsgenoten, maar ook wanneer door verschillende leeftijdsgroepen pesterijen plaatsvinden. Bijvoorbeeld een jongere uit de eerste klas die door een leerling uit een hogere klas gepest wordt of een meisje bij korfbal uit de D dat getreiterd wordt door een jongen uit de C. Je kunt als school, instelling of (sport)vereniging met oudere jongeren overleggen hoe je de nieuwe of jongere kinderen een veilige plek kunt geven zodat ze optimaal kunnen groeien en ontwikkelen. Die jonge kinderen kunnen daarna het stokje overnemen om het op hun beurt weer prettig te maken voor nieuwe of jongere kinderen. Zij weten inmiddels wat het is om in een veilige en prettige omgeving te zijn en zij kennen het klappen van de zweep. Ze we-ten hoe zaken zijn geregeld en hoe en wat je het beste kunt doen en waar je wat kunt halen. Door de erkenning van volwassenen voor het geven groeit hun zelfvertrouwen nog meer. En wat dit met een jongere doet, is inmid-dels duidelijk: ze voelen zich gesterkt, krijgen meer zelfvertrouwen en heb-ben een succeservaring. George Robinson en Barbara Maines bedachten de No Blame-methode. Basiselementen in deze methodiek zijn:

- Het pesten moet stoppen.
- Geen schuld geven.
- Er wordt niemand gestraft.
- Empathie aanmoedigen.
- Iedereen heeft een bepaalde verantwoordelijkheid.

Eerst wordt de pestsituatie in kaart gebracht. Wie is het doelwit, welk ge-drag, wie is de pester(s) en wie zijn de meelopers, is iedereen van het pes-ten op de hoogte?

Vervolgens wordt er met het volgende stappenplan gewerkt:

1) Gesprek met het slachtoffer

- Vraag globaal informatie over wat er gebeurd is.
- Vraag naar gevoelens, gedachten en beleving.
- Geef uitleg over je aanpak met veel aandacht voor de niet-bestraffende component.
- Vraag toestemming aan het slachtoffer.
- Onderzoek samen met wie je de No Blame-groep wilt samenstellen.
- Bespreek wat jij wel/niet mag vertellen over de beleving van het slacht-offer. Gebruik eventueel andere middelen dan alleen verbale communi-catie. Denk hierbij aan een metafoor, foto's, een tekening.
- Bespreek vertrouwen en dat jij bereikbaar blijft.

Voor de begeleider/coach/mentor/trainer:
o *Ga in gesprek met het slachtoffer en bespreek gedachten en gevoelens en het effect daarvan op het slachtoffer.*
o *Vraag niet naar de inhoud van de pesterijen, maar naar wie de pesters zijn en wie erbij betrokken waren en vraag naar het gevoel.*
o *Creëer vertrouwen en leg, als dit nog nodig is, de procedure uit.*
o *Vraag wat je wel en wat je niet mag vertellen aan de anderen.*
o *Nodig het slachtoffer uit om met een metafoor, foto's en/of een tekening in gesprek te gaan over de uitwerking van de pesterijen, als dit nodig is of als een andere manier van communiceren niet of lastig gaat.*

2) Samenkomst met de No Blame-groep

– De samenstelling is nauwkeurig gekozen en bestaat uit pesters, meelopers, vrienden en/of positief ingestelde jongeren.
– Het slachtoffer is nog niet aanwezig; de ervaring leert dat dit vaak het proces remt.

Voor de begeleider/coach/mentor/trainer:
o *Organiseer een bijeenkomst met een nauwkeurig gekozen groep jongeren.*
  De groep is samen met het slachtoffer gekozen en bevat ongeveer zes tot acht personen.
o *Vertel de groep/team dat er een probleem is. Bijvoorbeeld: 'Er is iemand in deze groep/team die het niet naar zijn zin heeft ...'*

3) Uitleg van het probleem

– Aan de groep wordt het probleem verteld.
– Er wordt in algemeenheden en niet in details gesproken.
– Niemand wordt beschuldigd.
– Er wordt duidelijk gemaakt dat er een probleem is en dat deze groep die samen gaat oplossen.

Voor de begeleider/coach/mentor/trainer:
o *Vertel het groepje jongeren dat er een probleem is.*
o *Maak eventueel gebruik van een metafoor, foto's en tekening van het slachtoffer die tijdens het eerste gesprek zijn ontstaan, om zo het effect van het pesten te benadrukken.*
o *Spreek geen beschuldigingen uit.*

4) Gezamenlijk verantwoordelijkheid benoemen

– Communiceer duidelijk en helder dat er niet zal worden gestraft.
– Iedereen in de groep heeft zijn eigen verantwoording en heeft een bijdrage aan de oplossing.
– Doordat de groep het meeste contact met het slachtoffer heeft, kan die
  ervoor zorgen dat het pesten zal stoppen.

Voor de begeleider/coach/mentor/trainer:
o *Maak de groepsleden duidelijk dat zij de grootste verantwoordelijkheid hebben
  en de meeste kracht en vaardigheden om het probleem op te lossen; de groep is
  in staat het tij te keren.*
o *Onderzoek of de groep voldoende kracht en kwaliteiten heeft om deze verantwoordelijkheid te kunnen dragen. Niet iedere groep is daartoe in staat.*

5) Alle deelnemers uiten ideeën en doen voorstellen

– Ideeën, voorstellen, gedachten en dergelijke worden geuit en genoteerd.
– Alles is positief en in de ik-vorm geformuleerd.
– Wie gaat wat doen?

Voor de begeleider/coach/mentor/trainer:
o *Vraag om het voorstel, idee, gedachte zo concreet mogelijk te maken ('Hoe ga
  je dat doen?'). Alles moet erop gericht zijn dat het slachtoffer zich weer prettig
  gaat voelen in de groep.*
o *Zorg voor veel erkenning voor de voorstellen, ideeën.*
o *Formuleer zoveel mogelijk in de ik-vorm (algemene uitspraken werken vaak
  niet of zijn niet duidelijk). Bijvoorbeeld: 'Ik vind het heel fijn als iedereen goed
  met elkaar omgaat en er geen ruzie is' of 'Ik vind dat pesten door het slachtoffer direct gemeld moet worden bij de mentor, begeleider, coach.'*
o *Maak concrete afspraken wie wat gaat doen.*
o *Het slachtoffer wordt geïnformeerd over de voorstellen en dergelijke en de begeleider bewaakt het proces.*

6) De groep gaat aan de slag en bepaalt

– De groep wordt nogmaals geïnformeerd.
– Eenieder gaat met zijn taak/opdracht aan de slag.
– De groep heeft alle verantwoordelijkheid; alleen de groep kan het pro-
  bleem oplossen.
– Na een week zijn er individueel gesprekken met de deelnemers van de
  uitvoerende groep.

Voor de begeleider/coach/mentor/trainer:
o *Maak heel duidelijk dat de totale verantwoordelijkheid voor de oplossing van het probleem bij de groep ligt. Geef hen het vertrouwen.*
o *Laat het los en monitor op afstand.*
o *Geef veel erkenning voor al uitgevoerde opdrachten/taken en hiermee voor eenieders geven aan de verbetering van het functioneren van de groep.*

7) Korte gesprekken met alle betrokkenen na ongeveer één week

– Ieder lid vertelt individueel zijn bijdrage aan de uitvoering van het plan.
– Enkele vragen kunnen zijn: wat ging er goed, waar liep je tegen aan, hoe is het nu, is het gestopt, ben je tevreden?
– De pester wordt (weer) onderdeel van de groep.
– Als het slachtoffer nog niet met plezier in de groep is, kan de procedure herhaald worden.

Voor de begeleider/coach/mentor/trainer:
o *Na een week een individueel gesprek met de uitvoerenden hoe het is gegaan. Wat ging goed en waar liep je tegenaan? Ook hier weer veel erkenning voor het geven. Zo groeit zelfvertrouwen en ...*
o *Zo heb je de mogelijkheid om van dichtbij de voortgang te monitoren en de betrokken jongeren te blijven inspireren en motiveren.*
o *Het verdient aanbeveling om te onderzoeken wat maakt dat het niet succesvol is geweest. Is een nieuwe procedure wel passend of moet er (eerst) iets nieuws gebeuren?*

De kracht van de No Blame-methode is dat er geen *blamers* (schuldigen) zijn of worden gemaakt. De pester(s) wordt vooral gemotiveerd om de relatie te herstellen. Dit gebeurt meestal indirect. Dit is iets anders dan bij herstelrecht en non-contracten. Het mooie van de No Blame-methode is dat niet de gepeste van alles moet veranderen en doen, maar dat hier vooral de inzet van de omgeving belangrijk is voor het succes. Natuurlijk zal de gepeste ook naar zichzelf kijken en onderzoeken wat zijn aandeel is. Zo nodig zal hij dan hulp zoeken.

Voor meer informatie verwijs ik naar: www.noblame.nl

4.4.11 VIJFSPORENAANPAK

Het belangrijkste doel van de vijfsporenaanpak is dat alle betrokken partijen (vijf stuks) worden ingezet om het pesten te stoppen. Die vijf partijen zijn: het slachtoffer, de pester, klasgenoten, volwassenen binnen de school, instelling of (sport)vereniging en de ouders. Bij deze aanpak krijgt ieder een taak of opdracht. Kern van het vijfstappenplan is dat niet alleen het slachtoffer hulp krijgt en moet veranderen, maar iedereen zijn steentje bijdraagt. In de loop van de tijd zijn de verschillende procedures wel iets veranderd. Vooral om het passend te maken voor de school, instelling of (sport)vereniging. Een veelgebruikt stappenplan is het volgende:

o *Bied steun aan het slachtoffer:*
  – Luister en neem het probleem serieus.
  – Zoek samen met het slachtoffer naar mogelijke oplossingen.
  – Werk samen met het slachtoffer deze oplossingen uit.
  – Schakel indien noodzakelijk deskundige hulp in.
  – Denk hierbij aan gesprekken met een coach of het volgen van een sociale vaardigheids- of weerbaarheidstraining.
  – Veel slachtoffers hebben er baat bij als ze intensief gaan sporten; in het bijzonder judoën heeft een positief effect.
  – Blijf monitoren en in gesprek met het slachtoffer en zijn ouders.

o *Bied steun aan de pester:*
  – Laat de pester ervaren wat zijn gedrag voor het slachtoffer betekent.
  – Geef tips met welk ander gedrag de pester op een positieve manier relaties kan onderhouden met andere jongeren.
  – Spreek de pester rechtstreeks aan op regels en afspraken.
  – Vertel wat de school, instelling of (sport)vereniging gaat doen om pesten te stoppen.
  – Zorg voor veiligheid.
  – Stel duidelijk grenzen en maak afspraken over de consequenties mocht je deze grens overschrijden. Handel consequent op grensoverschrijdend gedrag.
  – Organiseer regelmatig voortgangsgesprekken.

o *Steun voor ouders van slachtoffer en pester:*
  – Neem de verhalen, verzoeken en wensen van ouders serieus.
  – Breng ouders op de hoogte als hun kind gepest wordt en wel zo snel mogelijk.
  – Informeer ouders welke visie en aanpak de school, instelling heeft met betrekking tot pesten.
  – Verwijs ouders zo nodig door naar een externe deskundige.

o *Betrek de middengroep/stillen om het pestprobleem op te lossen:*
  - Informeer jongeren in een kringgesprek tijdens een les/training of een mentorles of een speciale thematische bijeenkomst over pesten en over rollen en vraag welke rol zij hebben.
  - Overleg met deze groep welke invloed zij (kunnen) hebben om het pestprobleem te stoppen en laat henzelf ideeën en voorstellen opperen.
  - Geef deze groep een actieve rol in het stoppen en voorkomen van pesten. Die kan namelijk het verschil maken.
o *Rol van de school, instelling of (sport)vereniging:*
  - Zorg ervoor dat iedere volwassene binnen de school, instelling of (sport)vereniging voldoende informatie heeft en op de hoogte is van de regels/afspraken, de visie en de aanpak rond pesten. En bied voldoende veiligheid voor iedereen.
  - Tolereer als school, instelling of (sport)vereniging nooit pestgedrag en zodra je het signaleert, wordt er direct gehandeld (bijvoorbeeld met een QuickScan en/of handelingsplan).
  - De school, instelling of (sport)vereniging werkt nauw samen met bureau Jeugdzorg, schoolmaatschappelijk werk, bureau HALT, leerplicht, politie.

Voor meer informatie verwijs ik naar: www.pestweb.nl of www.pesten.net

4.4.12 OVER DE STREEP

In het weekend van 13 tot en met 15 mei 2011 vond in het gebouw van de Werkplaats Kindergemeenschap te Bilthoven de Europese première plaats van de workshop Next Step to being the change. Een driedaagse workshop waaraan ongeveer zestig personen deelnamen. De deelnemers werden ingeleid in achtergronden en werkwijzen van de methodieken van Challenge Day. De workshop werd verzorgd door Rich en Yvonne Dutra-St. John. Zij gelden als de founders van Challenge Day. De uitnodiging beloofde een fantastisch weekend van persoonlijke groei en verbinding. Een groot aantal deelnemers had enige voorkennis over Challenge Day. In 2010 was immers de eerste tv-uitzending geweest van Over de streep van het IJburgcollege te Amsterdam. Daarnaast hadden enkele deelnemers in de Verenigde Staten meegedaan aan een vergelijkbare workshop. Het lukte Rich en Yvonne om alle deelnemers in een half uur in een sfeer te brengen, waarin er sprake was van saamhorigheid, wederzijds respect en betrokkenheid. Maar bovenal had iedereen een gevoel van veiligheid. Hoe deden ze dat? Ze pasten uiteraard een aantal geweldige energizers toe, hadden een perfecte muziekkeuze en waren in staat je uit de comfortzone te halen. Maar vooral stelden zij zich zorgzaam en kwetsbaar op ten opzichte van de groep. Gevolg was dat na nog geen half uur er een groep was gevormd, waarin men het persoonlijk leven, ervaringen en problemen met anderen wilde delen. Uniek, want deze groep kende geen geschiedenis en geen toekomst. In één weekend waren Rich en Yvonne in staat om een stevige basis te leggen voor deze groep en door toepassing van de simpele drie Be the Change-regels wist iedereen wat hij of zij voor zichzelf of de werksituatie moest doen.

Challenge Day: een aanpak voor versterking van het schoolklimaat

Vanaf mei 2010 is de werkwijze van Challenge Day geleidelijk geïntroduceerd in het Nederlandse onderwijs. Op het IJburgcollege in Amsterdam wordt het programma voor het eerst uitgevoerd. Van deze dag wordt een televisie-uitzending gemaakt, die werd uitgezonden door de KRO. Vanaf het moment van uitzending komen er talrijke tegengestelde reacties los. Aan de ene kant bijzonder positief en aan de andere kant uiterst negatief en afwijzend. De schoolleiding van dit college wilde met het programma de veiligheid vergroten, een nieuw moreel kompas aanreiken en dat we meer respectvol met elkaar omgaan. De school heeft Challenge Day een stevige plaats gegeven en het is nu reeds drie keer uitgevoerd.

Ik kan hier geen volledige beschrijving van zo'n dag geven. Daarvoor raad ik je aan om een van de uitzendingen via www.challengedaynederland.nl of www.overdestreep.kro.nl (doorklikken naar tv-afleveringen) te bekijken. Verder vind je op deze sites ook informatie hoe je dit binnen jouw school, instelling of (sport)vereniging vorm kunt geven.

Basis voor het programma Challenge Day is het boek *Be the hero* van Yvonne en Rich Dutra-St. John. Dit is een persoonlijk verslag van hun zoektocht naar werkvormen en methodieken om in het onderwijs isolatie, uitsluiting, eenzaamheid en pesten te voorkomen. 'Today, as adults, we pose the question; if we never learn these things – truth, love, connection, communication – then does learning anything else really matter?' (p. 8). *Be the hero* is een verzameling ervaringen en werkvormen die de basis vormen voor veranderingen bij individuen en organisaties.

Tegenwoordig bestaat Challenge Day uit een zesenhalf uur durend programma, dat wordt uitgevoerd door twee gecertificeerde trainers uit de Verenigde Staten. Er nemen honderd jongeren aan deel en ten minste vijfentwintig volwassenen. Dat betekent dat er voor sommige onderdelen een leerling : volwassene ratio is van 4 : 1.

De belangrijkste elementen van het programma zijn:

– *Je doet er toe en je bent belangrijk.*

De samenstellers, de trainers en de begeleiders gaan consequent uit van een positieve grondhouding en stralen dat uit. Jouw levensverhaal, jouw ervaringen, jouw problemen en jouw gezinssituatie doen er toe en zijn belangrijk om meer van je te weten, je te begrijpen en je te steunen. Willen we je echt begeleiden en willen wij je vooruit helpen dan is dit de grondhouding: Be the hero!

– *Een diep respect voor ieder individu.*

In aansluiting op het voorgaande geldt dat er gewerkt wordt vanuit een diep respect voor ieder individu. Ieder verhaal is belangrijk en doet er toe.

– *Vergroot de openheid over jezelf.*

Een belangrijke werkvorm is 'if you really knew me' of 'als je me goed wilt kennen'. Deze werkvorm is gebaseerd op het principe van de ijsberg. Daarbij weten we dat slechts 10% zich boven de zeespiegel bevindt en 90% eronder. Als we dat vertalen naar ons gedrag en onze gevoelens dan weten we dat alles wat samenhangt met onze angst, verdriet, emotie, zorgen en boosheid zich bevindt onder de waterspiegel. We hebben de neiging dit gedeelte verborgen te houden en niet of zo min mogelijk te delen met anderen. Deze werkvorm wordt in een kleine setting van vier tot vijf jongeren en één volwassene uitgevoerd. De volwassenen zijn goed voorbereid en getraind op dit onderdeel van de dag. Met deze werkvorm 'dropping your waterline' kun je laten zien wie je echt bent. Dit geldt als een van de meest cruciale onderdelen van het programma. Immers, in dit onderdeel kunnen leerlingen informatie geven over de omstandigheden die ze echt raken, de angsten die ze ervaren, de zorgen over de thuissituatie, de gevolgen van de echtscheiding en niet verwerkte gevoelens van verlies en rouw. Juist voor dit onderdeel geldt de voorwaarde van veiligheid en bescherming. En uiteraard de noodzaak te zorgen voor goede en transparante afspraken over de nazorg en over de inbedding in de zorgstructuur van de school.

– *Over de streep gaan.*

Bij deze werkvorm staan alle deelnemers in een rij aan een kant van de zaal. De trainer benoemt een situatie, een voorval of een gebeurtenis. De deelnemers voor wie dit van toepassing is, lopen naar de andere kant van de zaal en gaan dus over de streep. Voor allen is daarmee te zien welke situaties en ervaringen voor bepaalde mensen gelden.

Uit de tv-registraties van Challenge Day blijkt dat dit gedeelte veel emoties oproept. Tegelijkertijd geven jongeren zelf aan dat het bevrijdend werkt. De eerste reactie van deelnemers is namelijk steeds de constatering: je bent niet alleen en je wordt gesteund. Heel lang had je gedacht dat je de enige was die dat probleem had. Dat is in vrijwel alle situaties niet het geval. Je kunt je probleem delen.

— *In samenhang met een vreedzame samenleving.*

Het is de overtuiging van de samenstellers van dit programma dat er uiteindelijk een groter effect is dan alleen op deze school of deze groep jongeren. Als we met elkaar zo omgaan als het programma ons voorhoudt en we doen dat vreedzaam dan heeft dat een positief effect op de onderlinge relaties tussen mensen.

Evaluaties en ervaringen

De eerste evaluaties van deelnemers aan de workshop Challenge Day geven iets weer van een gevoel van een flow. Er is heel veel losgemaakt: je hebt heel veel gehoord en er is gedeeld. In *Didactief*, december 2011, zegt Astrid van Nieuwenhoven: 'De kracht van deze dag is het enorme gevoel van saamhorigheid dat in zo'n groep ontstaat. Jongeren die elkaar niet zo goed kennen, zien ineens wat hun klasgenoten allemaal hebben meegemaakt. Dat brengt hen dichter bij elkaar.' In het artikel constateert de auteur dat ook er een half jaar na Challenge Day nog steeds een duidelijk effect is in de wijze van omgaan van leerlingen met elkaar. 'De leerlingen pesten minder en er is niet meer zo veel groepsvorming. Ze houden beter rekening met elkaar.' In de tv-uitzendingen worden soortgelijke reacties gegeven. De effecten lijken met name te liggen op het terrein van het klimaat, bevordering saamhorigheid. Door de versterking van het klimaat wordt vooral het pesten teruggedrongen, ook al doordat er sprake is van corrigerend gedrag op elkaar.

Verder wordt in de evaluaties aangegeven dat er minder snel een oordeel wordt gegeven over het gedrag van anderen. Deels hangt dit samen met het toegenomen respect voor elkaar, maar vooral ook omdat geleerd is minder snel te oordelen en vooral achter het gedrag van de ander te kijken. Wat speelt er allemaal? Wat is er nu precies gaande? Let wel: we hebben het hier over toonevaluaties en voorlopige conclusies. In de Verenigde Staten zijn regelmatig onderzoeken uitgevoerd naar de effecten van de deelname aan Challenge Day. In het algemeen bevestigen die het positieve beeld dat hiervoor geschetst is.

Via de link www.challengeday.org/challenge-day-evaluations-research.php kun je diverse resultaten van onderzoek lezen bij deelnemers aan Challenge Day. Vooral positief zijn scores op vragen over de effecten op het plagen en pesten van jongeren en wat het met ze doet. Ook wordt aangegeven dat men zich meer verbonden voelt met anderen en dat men bereid is tot hulp. Ruim 75% van de ondervraagde jongeren geeft aan dat jongeren optreden tegen pesters. Op dit moment wordt ook in Nederland onderzoek gedaan naar de effecten van Challenge Day op de korte en op de langere termijn.

Challenge Day binnen mijn school, instelling, (sport)vereniging?

Zeker door de aandacht op televisie komt bij veel scholen en sommige instellingen en (sport)verenigingen de vraag op of er bij hen een Challenge Day georganiseerd kan worden. Op de website van Challenge Day Nederland (www.challengedaynederland.nl) staat daarvoor een uitvoerige procedure beschreven. Er zijn ook andere trainingbureaus, instellingen en organisaties die werkvormen van Challenge Day in hun programma opnemen, zij het dat zij door afspraken over licenties andere omschrijvingen moeten gebruiken.

Enkele overwegingen voordat je overgaat tot de uitvoering van Challenge Day:
- Wat zijn de motieven? Zijn er specifieke wensen, omstandigheden, problemen of verwachtingen voor het organiseren van deze dag? Van belang om in de oriëntatie aan de orde te stellen omdat bepaalde accenten dan wellicht anders komen te liggen.
- Zorg voor een verbinding met de zorgstructuur en met de instellingen voor zorg en jeugdhulpverlening die binnen de school actief zijn.
- Communicatie binnen en buiten de school. Wie moet er allemaal op de hoogte worden gesteld van het programma en wat is de positie van ouders hierbij?
- Stel de groep samen die de jongeren tijdens de dag begeleidt. Zorg in overleg met de organisatie voor een goed trainingsprogramma. Hierbij worden in ieder geval de zorgcoördinator en de schoolmaatschappelijk werker betrokken.
- Maak in een vroegtijdig stadium afspraken over de nazorg. Wie doen dat? Hoelang? Welke activiteiten? Raadzaam is om hierover ook te spreken met andere scholen die al een programma hebben uitgevoerd.
- De samenstelling van de groep jongeren. Veelal wordt een dagprogramma uitgevoerd voor ongeveer honderd jongeren van dezelfde leeftijd. Overleg met de mentoren, begeleiders of coaches van deze jongeren welke (extra) zorg er aanvullend gewenst is voor bepaalde jongeren.

Uiteraard is het nog te vroeg om nu reeds weloverwogen oordelen te geven over het effect van het programma Challenge Day op een school, instelling of (sport)vereniging. De resultaten in de Verenigde Staten zijn in elk geval bemoedigend en eerste evaluaties in Nederland eveneens. Verder wil ik nogmaals wijzen op het belang van goede afspraken over begeleiding en nazorg.

Voor meer informatie verwijs ik naar: www.challengedaynederland.nl en overdestreep.kro.nl

De grootste veranderingen gebeuren als je ophoudt te geloven dat je zou moeten veranderen.

(Erik Van Zuydam)

Ervaringsverhaal Maarten-Floris

Maarten-Floris was twee jaar lang een rustige jongen, een speelbal voor de mensen in zijn omgeving. Hij werd door leeftijdsgenoten lastig gevallen. Hij moest een roze sjaal dragen. Ze scholden hem uit voor mietje/flikker/homo en hij moest snoep stelen in de supermarkt.

Maarten-Floris werd gepest omdat hij zich anders gedroeg dan andere jongens. Op zijn dertiende ontdekte hij dat hij meer gevoelens heeft voor jongens dan voor meisjes. Verder merkte hij dat hij inderdaad ander gedrag vertoont dan andere jongens. Hij loopt anders, praat anders en hij gaat meer met de meisjes dan met de jongens uit zijn klas om. Het pesten bleef zo'n twee jaar doorgaan. Niemand zag zijn pijn totdat zijn nieuwe mentor met hem een kennismakingsgesprek had, zoals met al zijn leerlingen. Tijdens dit gesprek, maar ook de weken ervoor had hij gezien dat Maarten-Floris altijd T-shirts, sweaters en blouses met lange mouwen aanhad, terwijl het buiten erg warm was. Toen de mentor hem er naar vroeg, begon Maarten-Floris te huilen. Tussen de tranen door gaf hij enkele korte antwoorden. Pas toen de mentor hem rechtstreeks vroeg of hij zichzelf krast en snijdt, liet hij huilend zijn onderarmen zien. Deze zaten vol met oude en verse littekens, krassen en sneden. Toen de kogel eenmaal door de kerk was, vertelde Maarten-Floris van de jarenlange pesterijen die hem pijn deden en waar hij met niemand over durfde te praten. Verder vertelde hij zijn verwarring rond zijn gevoelens voor jongens en de pijn die hij hierdoor had.

Gelukkig voor Maarten-Floris kreeg hij een mentor die verder keek dan zijn neus lang was en die niet alleen luisterde, maar ook tussen de regels door verstond wat Maarten-Floris zei. De mentor heeft in overleg met Maarten-Floris en vrij snel ook met zijn ouders, een begeleidingstraject voor hem opgestart. Op dit moment, nu zes jaar later, gaat het redelijk tot goed met Maarten-Floris. Als herinnering aan die tijd zal hij zijn hele leven de littekens op zijn armen en zijn ziel met zich meedragen. Hij heeft nog steeds contact met zijn oude mentor die hij erg dankbaar is. Deze dankbaarheid toont Maarten-Floris elk jaar door hem op zijn verjaardag een mooi cadeau te geven.

HOOFDSTUK 5

BEGELEIDEN VAN PESTERS EN SLACHTOFFERS

5.1 BEIDEN HEBBEN HULP NODIG

Uit onderzoek van jaren geleden bleek dat 50% van alle volwassenen die veroordeeld zijn voor crimineel gedrag in hun jeugd pester waren. Wie dit gegeven tot zich door laat dringen, snapt de titel van deze paragraaf. Vaak zie je dat er veel tijd en energie worden gestoken in jongeren die gepest worden. Natuurlijk is dit goed, maar de pester heeft ook hulp nodig. Een pester heeft vaak, zoals we nu weten, weinig zelfvertrouwen en/of gedraagt zich vaak sociaal onhandig. Uit de voorgaande hoofdstukken weten we inmiddels ook dat als we het zelfvertrouwen en de sociale vaardigheden van zowel de gepeste als de pester kunnen vergroten dan heeft de pester het pesten niet meer nodig en kan de gepeste beter en makkelijker de pesters rechtstreeks aanspreken. Het is toch fantastisch dat je als school, instelling of (sport)vereniging de criminaliteit in Nederland kunt reduceren door preventief en curatief in het thema pesten te investeren! De begeleiding van pesters én slachtoffers van pesten kan in groepsverband maar ook individueel. Een groepstraining heeft als voordeel dat je juist ook van anderen veel kunt leren. Dit sluit perfect aan bij een uitspraak van de Dalai Lama: *Leer ook van de fouten van anderen. Je leven is te kort om ze allemaal zelf te maken.*

5.2 AAN DE SLAG!

Vaak lopen jongeren erg lang met het idee rond dat zij de enige zijn. Voor veel jongeren gaat er een wereld open wanneer ze zien dat ook anderen met dezelfde problemen worstelen. Dat geeft hen moed om hun problemen onder ogen te zien en ermee aan de slag te gaan. Het zijn juist jongeren die vooral veel leren van andere jongeren. Natuurlijk leren ze ook wel iets van volwassenen, zoals hun mentor, trainer, begeleider of coach, hoewel het verstandig is dat deze niet als redder functioneert. De mentor, trainer, begeleider of coach kan niet voorkomen dat er gepest wordt. Hij kan wel zo'n klimaat creëren dat pesten niet nodig is. Ook kan hij jongeren voorzien van gereedschap en handvatten, waarmee zij zelf aan de slag kun-

nen om het geleerde toe te passen. Tijdens een wedstrijd staat een volleybalcoach ook niet naast de speler in het veld om te zeggen hoe hij de bal
moet blokkeren. Dit heeft de speler tijdens de training van de coach (en
zijn medespelers) kunnen leren. Verder loopt de mentor, trainer, begeleider of coach het risico dat hij op de stoel van de 'betere ouder' gaat zitten of
dat hij als redder in de dramadriehoek terechtkomt. Welke gevolgen het
'betere ouderschap' heeft, weten we inmiddels uit hoofdstuk 3. De risico's
wanneer je als mentor, trainer, begeleiders of coach in de dramadriehoek
terechtkomt, komen verderop in dit hoofdstuk aan bod.

Het motto van al mijn begeleiding is 'Leren door te doen'. Als mentor, trainer, begeleider of coach moet je zelf nooit actief meedoen met een oefening. Je bent voornamelijk bezig met verstrekken van opdrachten, observeren, terugkoppelen en leerervaringen bespreken. Elke bijeenkomst heeft
een duidelijk begin, midden en eind. Dit maakt de begeleiding helder en
alle jongeren weten wat er van hen verwacht wordt en je krijgt het gevoel
dat je ertoe doet. Het is belangrijk dat de deelnemers het gevoel hebben ge-
kend te zijn en dat zij weer invloed hebben op zichzelf en daarmee op hun
eigen gedrag. Een veilige atmosfeer is belangrijk. Anders ben je niet in
staat van anderen te leren om zo je gedrag te veranderen. Je zult je dan regelmatig geblokkeerd voelen om alles te geven wat in je zit. Die veiligheid
kun je onder andere bereiken door direct samen duidelijke werkafspraken
en feedbackregels te maken.

Het is belangrijk dat je als mentor, trainer, begeleider of coach tijdens de
begeleiding laat merken dat jij een passant bent, een *richtingaanwijzer,* zoals ik mezelf vaak noem. Je kunt de jongere verschillende wegen laten zien
waardoor hij waarschijnlijk weer beter in zijn vel komt te zitten. Toch is het
telkens aan de jongeren zelf om een nieuwe weg te gaan. Natuurlijk kun je
een stukje meelopen, maar verder is het aan de jongere. Soms merk je bij
hem weerstand, zoals 'Hallo, ik zit hier om van jou te horen wat goed voor
mij is en wat ik moet doen.' Voor velen is het een eyeopener als ze zien dat
ze zelf, samen met anderen, aan de slag moeten. Als mentor, trainer, begeleider of coach fungeer je met andere woorden slechts als wegwijzer. Dit is
misschien wel even schrikken voor het ego van vele mentoren, trainers, begeleiders of coaches. Zij zijn volgens mij echter geen Hans Klok of een
Hans Kazan. Zij kunnen jongeren niet weer beter in hun vel *toveren.* Dat is
een illusie. Je kunt jongeren wel handvatten en gereedschap aanreiken en
uitleggen hoe die werken, maar het werk zullen ze zelf moeten doen.

Voor de begeleiding van jongeren kun je van verschillende begeleidingstechnieken en visies gebruikmaken. Uit antwoorden op vragenlijsten, in-
terviews en gesprekken met jongeren blijkt dat ze het erg prettig vinden als

hun mentor, trainer, begeleider of coach 'eclectisch' werkt. Dat wil zeggen dat die kijkt wat de jongere op dat moment nodig heeft en wat op dat moment voor hem het beste past. Hiermee doe je de jongere en daarmee jouw manier van begeleiden recht. Immers, er leiden meerdere wegen naar Rome. De begeleidingstechnieken zijn afgeleid van diverse therapieën, methodieken en aanpakken zoals onder andere cognitieve gedragstherapie, gestalttherapie, systeemtherapie, contextuele therapie, familieopstellingen van Hellinger, rationeel-emotieve therapie (RET), neurolinguïstisch programmeren (NLP) en Transactionele Analyse (TA). In de bijlage 'Kernbegrippen' beschrijf ik deze heel kort. Voor meer informatie verwijs ik naar het internet, boeken en andere publicaties.

5.3 DE DRAMADRIEHOEK

Veel mentoren, trainers, begeleiders, coaches en hulpverleners hebben als grootste valkuil dat zij de jongeren willen redden. Hierdoor lopen ze een erg groot risico om in de dramadriehoek terecht te komen, met alle gevolgen van dien, zoals we in de volgende paragraaf beschrijven. Vooral de Transactionele Analyse leert ons hoe interacties tussen mensen bekeken kunnen worden vanuit hun verschillende rollen (Kouwenhoven, M., 1983). Daardoor treden er verschillende 'rollenspellen' op. Eén daarvan staat bekend als de *dramadriehoek*, vanwege het feit dat er meestal een 'drama' ontstaat zodra je één van de rollen op je neemt. In de dramadriehoek (zie figuur 5.1) komen drie rollen voor:

1. De Redder
Dit is degene die helpt, die verantwoordelijkheden overneemt (ik doe dit voor jou). Het is een soort helpen vanuit de (onbewuste) overtuiging te weten wat goed is voor de ander. De redder denkt vaak dat de ander (nog) niet in staat is zelf het probleem aan te pakken. Het kenmerk van de redder is dat hij in de relatie het hardste werkt. De redder geeft ongevraagd advies of te snel antwoord op de vraag: 'Wat moet ik doen?' Het gevolg is dat de ander automatisch als slachtoffer wordt behandeld. De ander bevindt zich hoe dan ook in een onderliggende en afhankelijke positie: er is geen gelijkwaardigheid binnen de relatie. Een redder krijgt dankbaarheid zolang het goed gaat. Een redder wil graag helpen, zijn uiterste best doen, zich uitsloven, de ander het probleem uit handen nemen. Hij maakt de ander afhankelijk, maar wil tegelijkertijd een vertrouwensfiguur zijn. Hij kijkt niet of de hulp adequaat is. Voor een redder is het meestal moeilijk afscheid te ne-

men van het 'applaus'. Als het redden mislukt, geeft dit vaak bij alle partijen frustratie of zelfs kwaadheid.

II. Het Slachtoffer

Dit is degene die 'iets niet kan', die geen verantwoordelijkheid kan of wil dragen. 'Ik kan er niets aan doen' is de meest kenmerkende zin. Slachtoffers ventileren klachten over wat er allemaal niet deugt of over 'wat hen is overkomen'. Ander slachtoffergedrag kan zich voordoen in de vorm van: 'Anderen of bepaalde omstandigheden zijn er de oorzaak van dat ik me zo voel, dat ik iets niet kan doen.'

Een slachtoffer heeft het gevoel altijd de klos te zijn: 'Ze moeten altijd mij hebben.' Hij ziet zijn eigen kracht niet en kan een ander in de omgeving proberen zo ver te krijgen dat die hem of haar helpt of iets oplost en dus als redder gaat optreden. Een slachtoffer toont dan ook 'dankbaarheid'. Als de redder het niet goed doet, zal het slachtoffer (stille) verwijten maken. Het slachtoffer gaat dan de rol van aanklager vervullen. Meestal zoekt het slachtoffer dan een nieuwe redder. Wat vaak kan leiden tot 'shoppen'.

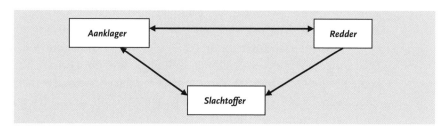

Figuur 5.1. **Rollen in de dramadriehoek**

III. De Aanklager

De aanklager beschuldigt, wijst de ander op zijn fouten en spreekt in verwijten: 'Jij bent lui of ongemotiveerd, dus ik steek geen energie in jou.' De aanklager onderneemt acties om de ander te straffen of probeert hem te elimineren, bijvoorbeeld door de jongeren definitief te verwijderen, niet vanwege ernstige feiten maar vanwege het niet opvolgen van adviezen. De aanklager wil zowel winnen als gelijk krijgen. Om dat te bereiken kan hij het slachtoffer blijven achtervolgen met klachten. De aanklager is boos op de wereld, verwijt anderen, is verbitterd, neemt wraak. Een aanklager miskent zijn eigen gevoel van schuld en pijn. Net als bij de redder is ook hier geen sprake van gelijkwaardigheid: het slachtoffer moet boeten, zijn excuses aanbieden, zich gaan gedragen zoals de aanklager dat wil: 'Jij moet dringend veranderen!' Na verloop van tijd kan er rolverwisseling optreden. Als je als mentor, trainer, begeleider, coach of hulpverlener bijvoorbeeld als redder begint en heel veel tijd en energie steekt in een jongere, maar gefrustreerd raakt omdat die niet de gewenste gedragsverandering laat zien, is de kans groot dat je vervolgens de rol van aanklager gaat vervullen.

De persoon die zich verzet tegen zijn redder, omdat hij zich ingeperkt voelt als slachtoffer ('Ik moet doen wat hij mij voorschrijft, terwijl ik zelf wil kiezen') gaat ook vaak de rol van aanklager vervullen. Het slachtoffer dat moet veranderen van de aanklager, vlucht of vecht terug en wordt dan zelf vaak aanklager. Daardoor wordt de oorspronkelijke aanklager meestal slachtoffer. Het 'drama' bestaat uit conflicten, teleurstelling en frustraties en het gevoel door de ander niet werkelijk gehoord en gezien te worden en dus niet echt serieus genomen te zijn. Uiteindelijk leidt het niet zelden tot een verbroken contact: een wederzijdse uitsluiting. Mensen die buiten de dramadriehoek staan, herkennen de rollen vaak wel in het gedrag van anderen. Zij ervaren het vertoonde gedrag als onecht en manipulerend. Op het moment dat je zelf in de dramadriehoek terechtkomt, is het vaak moeilijker te herkennen wanneer je in welke rol gedrongen zit.

5.3.1. VAN DRAMADRIEHOEK NAAR GROEIDRIEHOEK

Je kunt vanuit de dramadriehoek in de groeidriehoek stappen door:
I. De ander verantwoordelijk te laten blijven voor zijn keuzes en leerproces. Een goede mentor, trainer, begeleider, coach of hulpverlener vraagt door op wat de leervraag precies is, welke keuzes de ander wil maken en welke concrete acties de ander van plan is te ondernemen. Van redden naar zorgen zonder de ander het probleem uit handen te nemen. In het onderwijs is de kans groot dat je als mentor gaat redden. Immers, mentoren zijn vaak erg betrokken bij leerlingen en willen ervoor zorgen dat hun leerlingen goed scoren voor hun vak. Het risico dat je daarin doorschiet, is altijd aanwezig: voor je het weet, loop je je het vuur uit de sloffen om je leerlingen zover te krijgen. Daarom werken veel mentoren ook zo hard en kunnen ze gefrustreerd raken als leerlingen naar hun oordeel een te geringe inspanning leveren. Het vergt een voortdurende alertheid om na te gaan wat leerlingen nodig hebben om hun verantwoordelijkheid ook op zich te kunnen nemen.
II. Verwijten om te zetten in behoeften. 'Je luistert niet naar mij' wordt bijvoorbeeld: 'Ik wil graag dat je naar me luistert.'
III. Alleen gevraagd advies te geven en te checken bij de jongere wat deze van plan is daarmee te gaan doen. Dat betekent dat de jongere concreet uitspreekt wat hij werkelijk gaat doen. Dat is iets anders dan een intentie zoals: 'Ik ga proberen om ...' of 'Ik ga beter mijn best doen.'

IV. Te gaan van aanklagen naar assertief zijn door je eigen grenzen te bewaken en ook rekening te houden met de grenzen van de jongere. Tegelijkertijd moet je er rekening mee houden dat de jongere je boodschap ook moet
kunnen ontvangen.

V. Je steeds af te vragen 'Waarom stap ik in die rol?' of 'Hoe laat ik mij in die
rol manoeuvreren?' En ook: 'Hoe kan ik ervoor zorgen dat alle betrokkenen
(ikzelf ook) recht wordt gedaan?' Wat doe je als je hulp aanbiedt, is het gevraagd of ongevraagd?

Wanneer je op deze wijze in de groeidriehoek opereert, ontstaan er optimale kansen op een dialoog, die jongeren in staat stelt zich te ontwikkelen. In
figuur 5.2 zijn de rollen in de dramadriehoek weergegeven, evenals de manieren om vanuit de dramadriehoek in de groeidriehoek terecht te komen.
Door binnen de rollen van redder, aanklager en slachtoffer naar de kwaliteiten te kijken in plaats van naar de valkuilen, kun je als mens de waarde
ervan erkennen en de hierbij behorende verantwoordelijkheden scheiden.
Het is als lopen op een pad. Je kunt het in twee richtingen afleggen: het pad
van verstarring en stagnatie, verlies aan contact of het pad in de richting
van dialoog, groei en ontwikkeling door je met de ander te verbinden. Op
ieder moment kun je ervoor kiezen uit de rollen van de dramadriehoek te
stappen in de rollen van de groeidriehoek.

Heel belangrijk daarbij is het taalgebruik in de richting van de jongeren.
Pas recent weten we wat de kracht van taal is op het effect van interventies.
In het boek *Echt wel* (2010) van Michiel Noordzij wordt dit belang onder-
streept doordat hij steeds uitgaat van het begrip 'groeitaal'. Het gaat dan
om taalgebruik gericht op de versterking van de persoon en op de ontwikkeling. Uit den boze is dan taalgebruik als: jij-bakken, cynisme, ironie en
sarcasme. Juist deze uitingen zijn dodelijk voor jongeren!

5.4 OMGAAN MET WEERSTAND EN CONFLICTEN

In zijn boek *Nestgeuren* (1995) definieert Piet Weisfelt het begrip weerstand
als volgt: '*Weerstand is de kracht die aanzet tot tegenwerking om de (levens)doe-
len te bereiken. Weerstand is een gegeven. Ieder mens die op reis gaat, ervaart
weerstand. Zonder weerstand zou het op weg gaan ook niet mogelijk zijn. Op het
moment dat de mens op weg gaat naar zijn (levens)doelen is er weerstand.*'
Zonder weerstand zou geen boot varen en geen trein rijden. Weerstand is
er dus altijd. Een zeiler maakt zijn boot zo glad mogelijk om zo min mogelijk weerstand te hebben van het water, om zijn boeg door het water te laten

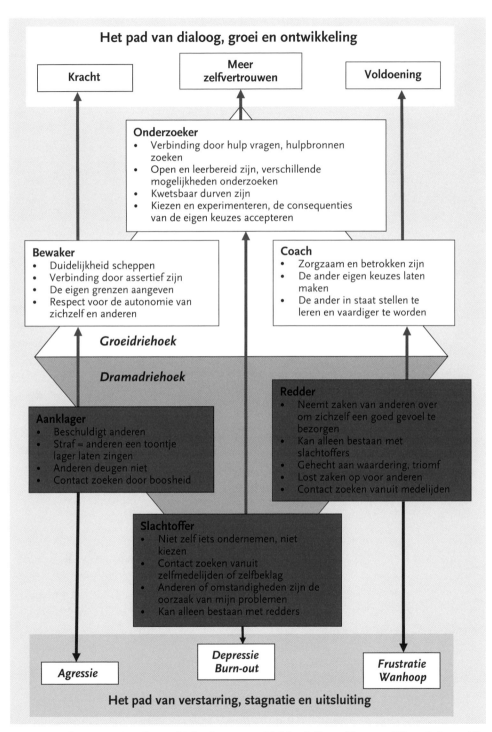

Figuur 5.2. Van dramadriehoek naar groeidriehoek (bron: Terpstra, K.J. en Prinsen, H. (2011) mentor van nu, Osmo Consult/Onderwijs van nu).

snijden zoals een warm mes door de boter. En hij zet de zeilen zo dat deze
zo veel mogelijk weerstand hebben. Dit maakt de paradox van weerstand
duidelijk, namelijk: weerstand is de kracht die aanzet tot tegenwerking en
weerstand is tegelijkertijd de bron van vooruitgang.

Toen de begeleider van Agnes naar de relatie met haar moeder vroeg, ontstond
er bij haar weerstand. Haar hele lijf protesteerde. Tegelijkertijd besefte ze dat
daar dan ook de bron van haar probleem lag. Zij en haar moeder stonden ver
van elkaar af en ook weer heel dicht bij elkaar. Langzaam drong het tot haar
door dat ze nog veel van haar moeder kon leren.

Achter weerstand zit altijd angst, verlangen of kwetsbaarheid. Als je met
weerstand op weerstand reageert, wordt de weerstand alleen maar groter.
Door op zoek te gaan naar wat er achter de weerstand zit, ga je op zoek naar
verbinding. Daarmee krijgt degene die weerstand biedt, erkenning voor
zijn weerstand. Gevolg zal zijn dat weerstand verdwijnt als sneeuw voor de
zon. Zo openen zich mogelijkheden en uitdagingen om het probleem aan
te gaan. Als een mens voor een verandering staat, wekt dat behalve uitdaging vaak interne weerstand en angst op. Er wordt wel eens gezegd: 'Het
verschil tussen angst en een uitdaging is een diepe ademhaling.' Angst
voor verandering heeft vaak te maken met het maskeren van eerder ervaren pijn of veronderstelde pijn. Om deze pijn te ontlopen vertonen mensen
weerstand. Zo voorkomen ze dat een ander de blauwe plek aanraakt. Maar
als iemand uit alle macht door middel van weerstand zijn blauwe plek beschermt, dan wordt de oude pijn juist geprikkeld.

Riet is de laatste vier jaar op haar basisschool erg gepest. Voordat ze naar school
ging, voelde ze iedere dag angst en woede omdat ze dacht aan de pestkoppen
overgeleverd te zijn. Ze stortte zich volledig op haar schoolwerk en haalde hele
hoge cijfers, waarmee ze naar het gymnasium kon. Hier werd ze minder gepest, maar de angst was er nog elke dag. Ook nu werkte ze keihard om haar pijn
maar niet te hoeven voelen. Ze haalde de hoogste cijfers van school en ging eco-
nomie studeren aan de universiteit van Utrecht. Nu heeft ze een hoge functie
bij een ministerie waar ze weinig contacten heeft, waardoor collega's haar af-
standelijk en onbereikbaar vinden. Velen hebben zelfs een hekel aan haar en er
worden vaak grapjes over haar gemaakt. De vorm van het pesten is veranderd,
de boodschap blijft dezelfde. Zij durft de werkelijkheid nog steeds niet onder
ogen te zien en zich af te vragen: 'Wat in mijn gedrag draagt hieraan bij?'

Wanneer iemands context verandert, ontstaat er vaak even een onbalans op weg naar een nieuwe balans, wat vervolgens weerstand kan opleveren. Bijvoorbeeld wanneer een directeur wil dat zijn secretaresse zelfstandiger werkt en minder met hem overlegt. De secretaresse voelt zich op haar beurt niet gezien en eenzaam als zij inderdaad op een dergelijke manier werkt. Weerstand is er dus altijd. De context zal regelmatig een uitdaging tot verandering aanreiken, terwijl de verandering tegelijkertijd ook weer nieuwe weerstand oproept. Vandaar dat veel mensen eerder op zoek gaan naar de oude balans dan dat zij een nieuwe ontwikkelen. 'We hebben een hekel aan de sleur, maar zijn bang voor veranderingen.' Door je weerstand als bron van vooruitgang te ervaren, kun je nieuwe dingen ontwikkelen. Dit brengt ons tot de volgende wetmatigheid: de kracht die aanzet tot weerstand is net zo groot als de kracht die nodig is om een doel te bereiken.

Voor mensen die van baan moeten veranderen of de jongere die van school of sportclub moet veranderen is het van belang te onderzoeken hoe de weerstand daartegen als bron van vooruitgang is te gebruiken. Hiervoor moet je wel je weerstand onderkennen en bereid zijn deze te onderzoeken. Juist als je geneigd bent te stoppen omdat je van het gezeur af wilt zijn, is het interessant te onderzoeken wat je van het gezeur kunt leren.

Vaak is weerstand onbewust en voor jezelf niet direct herkenbaar. Een verdedigingsmechanisme dat ontstaat in het omgaan met weerstand is de uiterlijke vorm van weerstand en tegelijk ook het maskeren van de weerstand. Als je weerstand en kracht wilt laten samenwerken, dan zul je je weerstand moeten erkennen. Dit is gemakkelijker gezegd dan gedaan. We zijn vaak geneigd weg te lopen. Als we echter bereid zijn de intentie van onze weerstand te onderzoeken, of anders gezegd in staat zijn voorbij die weerstand te kijken en na te gaan waar die uit voortkomt, kunnen we de effecten ervan onder ogen zien. Weerstand kan ons ook helpen moeilijkheden en belemmeringen zichtbaar te maken die we anders misschien onderschat zouden hebben. Het overwinnen van de weerstand maakt trots en geeft meer zelfvertrouwen, en zo is de cirkel weer rond. In *Mentor van nu* (K.J. Terpstra en H. Prinsen, 2011) is beschreven hoe je kunt omgaan met weerstand. Deze beschrijving is in ingekorte vorm hieronder weergegeven. Er zijn twee soorten weerstand:

• Weerstand tegen de inhoud.
• Weerstand tegen het proces.

Weerstand tegen de inhoud. Iemand is het niet eens met de inhoud van wat hem wordt aangeboden of hij begrijpt iets niet. Belangrijk kenmerk: Als er echt enkel sprake is van weerstand tegen de inhoud, dan zijn er geen bijkomende emoties en is iemand bereid om in een gesprek naar overeenstemming of een oplossing te zoeken. Zodra er emotie bijkomt, is er sprake van weerstand tegen het proces. Bij weerstand tegen de inhoud is het belangrijk om door te vragen om zaken duidelijk te krijgen. Daarnaast is het van belang om argumenten uit te wisselen.

Weerstand tegen het proces komt voort uit onduidelijkheid over persoonlijke gevolgen, uit onzekerheid of onveiligheid. Het gaat dus om angst, kwetsbaarheid en verlangen. Vaak heeft weerstand tegen het proces te maken met een gebrek aan erkenning, met zich niet gehoord en gezien voelen, of met schaamte, onzekerheid, het niet onder ogen durven zien van de consequenties van de huidige situatie, het niet kunnen accepteren van het eigen onvermogen op een bepaald terrein, het niet kunnen aanvaarden van de eigen verantwoordelijkheid.

Weerstand is ook een positieve kracht, een overlevingsmechanisme:
– het voorkomt dat je wordt gekwetst;
– het weerhoudt je ervan te veel hooi op je vork te nemen;
– het dwingt je duidelijke keuzes te maken;
– het zorgt ervoor dat je je grenzen aangeeft;
– het maakt je doelgericht.

Weerstand is vaak zichtbaar in gedrag. Dat kan verschillende vormen aannemen, zoals agressief gedrag, rivaliteit, spot, rebellie, verzet, opstandigheid, het aannemen van een aanklagerrol, zich terugtrekken, vluchten, afdwalen van het thema, geintjes maken, uitstelgedrag, de ander een schuldgevoel aanpraten, zielig doen, zich verschuilen achter veel werk, het aannemen van een slachtofferrol, dingen vermijden, wegblijven bij een toets, spijbelen, niet naar een feestje met veel mensen gaan, zelfdestructief gedrag.

Veel procesweerstand wordt geuit als weerstand tegen de inhoud. Dan ontstaan er emotionele discussies en polemieken die erg beschadigend kunnen zijn. Rationeel overtuigen en het aandragen van goede argumenten vergroten de procesweerstand juist. In die gevallen is het van het allergrootste belang de inhoud los te laten en eerst aandacht te hebben voor de procesweerstand. Daarbij kun je de volgende stappen zetten:
– Doorvragen op emoties. 'Hoe ervaar je ...?' 'Wat gebeurt er met jou?'
– Spreek erkenning uit. Dat is de belangrijkste stap! Zorg dat de ander zich door jou gezien en gehoord voelt en check uitdrukkelijk of dat ook werkelijk het geval is.

– Confronteer de ander met de negatieve consequenties van zijn huidige gedrag en manier van denken. Doel hiervan is de ander te helpen probleemeigenaar te worden en te zoeken naar gedrag dat helpt om de volgende stap te zetten. De centrale vragen hierbij zijn: 'Helpt je huidige gedrag ook om te bereiken wat je wilt?' en 'Welke andere mogelijkheden zijn er om wel te bereiken wat je wilt?'
– Zoek naar de positieve intentie van de weerstand en geef aandacht aan de onderliggende motieven die ten grondslag liggen aan de weerstand. Vraag 'Wat zou je willen?' en 'Wat maakt dat voor jou zo belangrijk?'

Het is als mentor, trainer, begeleider of coach ook belangrijk dat je je bewust bent van je eigen weerstanden tijdens de begeleiding. Wat vermijd je? Wat ontken je? Wat roept agressie bij je op? Waarbij heb je de neiging weg te vluchten? Antwoorden op die vragen helpen stagnaties in het begeleidingstraject in beweging te krijgen.

De kracht van de valkuil

Om inzicht in je sterke en je zwakke kanten als begeleider te krijgen, is het handig als je je kernkwaliteiten, valkuilen en allergieën in kaart kunt brengen. Op deze wijze kun je op een inzichtelijke en transparante manier conflicten met anderen analyseren. Het verschil tussen kwaliteiten en vaardigheden zit in het feit dat kwaliteiten van binnenuit komen en vaardigheden aangeleerd zijn. Verder kun je deze visie ook gebruiken om conflicten en dus ook pesten te voorkomen. Als er gepest wordt of een conflict is, kun je met het hieronder beschreven instrument het conflict inzichtelijk maken, analyseren en vervolgens oplossen. Dit kan natuurlijk alleen als beiden hiertoe bereid zijn. Wat je wel alleen kunt, is proberen te voorkomen dat je in de allergie van een ander terechtkomt. Dat betekent dat je uit je valkuil (te veel van je kwaliteit) moet zien te blijven. Deze visie wordt hieronder uitgebreider beschreven.

Een (kern)kwaliteit wat is dat nou precies?
Volgens Daniel Ofman, de grondlegger van deze visie, zijn (kern)kwaliteiten de sterke punten die iemand karakteriseren. Vaak zijn het de positieve punten die een ander het eerst over je zal noemen. Zoals: je bent erg spontaan, bijzonder flexibel of zeer creatief. Iedereen mens heeft één of meerdere kwaliteiten.

Hoe een kwaliteit een valkuil kan worden?
Valkuilen zijn vaak de zaken die anderen achter je rug over je zeggen en

waar ze zich aan storen. Een valkuil is een doorgeschoten kwaliteit: de vervormde of overtrokken kwaliteit. In de volksmond ook wel de keerzijde van de medaille genoemd. Hierdoor wordt je kwaliteit eigenlijk je zwakte. Iemand die perfectionistisch is, wordt dan iemand die vaak zeurt, op iedere slak zout legt of doordramt. Of iemand met veel zelfvertrouwen loopt het risico dat hij doorschiet en arrogant gaat doen.

Allergieën of ook wel de doorgeschoten kwaliteiten van een ander
Allergieën zijn vaak de doorgeschoten kwaliteiten van de ander waar jij je aan stoort. Iedereen heeft naast kernkwaliteiten ook valkuilen. Wanneer de ander doorschiet in zijn kwaliteit, kan dit bij jou irritatie oproepen. Dit noemt Daniel Ofman je allergie. Deze allergie heeft vaak met je eigen kwaliteit te maken. Iemand die zelf erg geduldig is, zal zich mateloos irriteren aan mensen die nogal drammerig zijn.

Aan kwaliteiten en allergieën zitten uitdagingen vast
Uitdagingen worden vaak zichtbaar als je op zoek gaat naar de kwaliteit die vastzit aan de valkuil van de ander. De eigenschap van de ander waar jij je aan irriteert, is wel zijn kwaliteit die vervormd is of waar hij in doorgeschoten is. En het mooie is dat juist voor degene die zich aan deze eigenschap

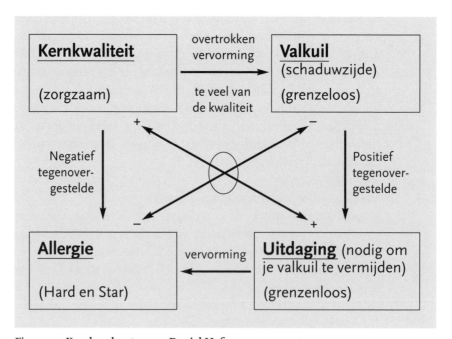

Figuur 5.3 **Kernkwadranten van Daniel Hofman**

irriteert, de kwaliteit die achter deze valkuil ligt, voor hem een belangrijk ontwikkelpunt is of anders gezegd zijn uitdaging kan zijn. Als je je regelmatig ergert aan het besluiteloze gedrag van een collega, ga dan op zoek naar de kwaliteit die hieraan vastzit. Als je zelf erg serieus bent, is de kans groot dat jouw uitdaging ligt bij een relaxt persoon die hierin doorgeschoten is en zich clownesk gedraagt. Het grootste leermoment ontstaat op het moment waarop je iemand ontmoet aan wie je je ergert of die jou irriteert! In figuur 5.3 wordt deze redenering verduidelijkt.

Alle samen vormen een kernkwadrant
Door je kernkwaliteiten, valkuilen, allergieën en uitdagingen te beschrijven en deze weer te geven in een figuur met vier vlakken ontstaat een kernkwadrant. Het volgende kernkwadrant is een voorbeeld van de kwaliteit 'Zorgzaam' van Anneke. Zij wordt geprezen omdat ze vaak anderen helpt. Verder krijgt ze ook wel eens te horen dat ze tijdens vergaderingen wat vaker haar mond mag houden om een ander eens de gelegenheid te bieden wat te zeggen.

De kwaliteit van Anneke is dat ze ontzettend zorgzaam is. Het gebeurt regelmatig dat ze daarin doorschiet, waardoor ze erg bemoeizuchtig wordt, dat ze gaat redden in plaats van zorgen. Dit is dan haar valkuil. Haar uitdaging is het tegenovergestelde van deze kwaliteit, in dit geval dat ze grenzen leert stellen. Voor Anneke is dit een inzicht dat ze heeft te onderzoeken. Aan haar kwaliteit zit ook een allergie vast (dat is als iemand doorschiet in de kwaliteit die haar uitdaging is): grenzen stellen. In dit voorbeeld is dat iemand die erg hard en/of star is.

Het maakt niet uit waar je in je kernkwadrant begint!
- Begin met het onderzoeken van en inzicht krijgen in je sterke punten en maak vervolgens de bijbehorende valkuil, uitdaging en allergie zichtbaar, zoals in het voorbeeld.
- Of begin met je uitdagingen, loop het pad terug naar je valkuil en ontdek je kwaliteit. Dit is een prachtige oefening voor je Persoonlijk Ontwikkelplan of ter voorbereiding op je komende functioneringsgesprek.
- Bevraag mensen om je heen (vrienden, familie, collega's) naar je valkuilen. Ik weet bijna zeker dat eenieder er minstens twee kan noemen. Loop het pad terug naar je valkuil en vervolgens je kwaliteit en zie daar je uitdagingen!
- Irriteer je je wel eens aan je buurman, collega of partner? Probeer eens

over de allergie te kijken en je ziet de kwaliteit van hem/haar die erachter zit, en zie daar is je leermoment geboren. Hierdoor wordt het zicht op jouw uitdaging, valkuil en kwaliteit steeds duidelijker.

- Tip: Ga eens met je partner, zoon, buurman, tennismaatje of collega kernkwadranten opstellen en bespreek met elkaar de allergieën, valkuilen, kwaliteiten en uitdagingen. En soepele omgang en samenwerking zullen ontluiken.

Mike is teamleider van het team zorg en welzijn. In het team zit een collega die hij een arrogante blaaskaak vindt. Alles moet op zijn manier, er is totaal geen ruimte voor gedachten van anderen. Tijdens het POP-gesprek heeft Mike dit te berde gebracht bij zijn locatieleider. Hierdoor ontstond een grappige situatie. In het laatste teamoverleg had de locatieleider het team verteld dat hij vanwege de verschillende kwaliteiten zo blij was met deze samenstelling. De collega van Mike vanwege zijn zelfvertrouwen, en Mike om zijn analyserende, bescheiden houding. Mike zag wat er zich had voltrokken: beiden waren doorgeschoten vanuit hun kwaliteit. Door de grote mate van zelfvertrouwen van zijn collega is Mike zich wat terug gaan trekken en werd hij onzichtbaar, waardoor de collega zich nog meer op de voorgrond ging bewegen. Na dit gesprek ging de locatieleider deze manier van inzichtelijk communiceren steeds toepassen als er zich een conflict aandiende of dreigde aan te dienen. Op deze wijze groeide de eigengrond voor ieder lid van het team en kreeg iedereen het gevoel dat hij ertoe deed. Dit resulteerde in het anders communiceren en het rechtstreeks aanspreken van elkaar in plaats van roddelen of elkaar steeds verwijten maken.

Instrument om conflicten te voorkomen en/of op te lossen!

Als twee jongeren of een jongere en een volwassene of twee groepen jongeren of twee collega's een conflict met elkaar hebben, kun je door middel van het onderstaande schema op een eenvoudig manier inzicht krijgen waarna er mogelijkheden ontstaan om het conflict op te lossen. Verder kun je hiermee bij jezelf onderzoeken wat maakt dat je wel eens een conflict hebt en waarom juist met deze persoon.

Een schema als gereedschap om samen een conflict op te lossen:
(Zie daarvoor werkblad 9 in de bijlage.)
1) A zoekt in de kolom ALLERGIE, het gedrag van de ander (B) waar het conflict mee te maken heeft. Dit is namelijk de allergie van A en het is de valkuil van B (overleg met elkaar of dit klopt).

2) Kijk nu in dezelfde regel twee stapjes naar links en A weet welke KWA-LITEIT van hem te maken heeft met het conflict. Door op dezelfde regel nu één stapje naar rechts te gaan weet A welke VALKUIL van hem met dit conflict te maken heeft (bepaal voor jezelf of dit klopt).

3) Zoek samen in de kolom VALKUIL naar hetzelfde gedrag (of dat wat er op lijkt) als het gedrag waarvan A vond dat het conflict te maken had (dit is de valkuil van B en de allergie van A).

4) Als je dit gedrag in het schema hebt gevonden, kijk dan in dezelfde regel één stapje naar links en A en B weten nu de KWALITEIT van B waar het conflict mee te maken heeft (B bepaalt voor zichzelf of dit klopt).

5) Beiden kennen nu hun Kwaliteit en Valkuil waar het conflict mee te maken heeft.

6) Het conflict kan al stoppen doordat beiden (A en B) in hun kwaliteit blijven en niet doorschieten naar hun valkuil. Zo kom je namelijk niet in de allergie van de ander en hierdoor zal het conflict opgelost zijn.

Algemene opmerking: als ieder mens in zijn kwaliteit blijft en niet doorschiet naar zijn valkuil, dan komt hij niet in de allergie van anderen. Er zullen bijna geen conflicten ontstaan en is er minder voedingsbodem voor pesten!

7) Het conflict wordt pas werkelijk opgelost wanneer beiden hun UITDA-GING aangaan (deze staat op dezelfde regel in het meest rechtervakje). Als beiden hun uitdaging blijven aangaan dan is de kans groot dat er tussen A en B geen soortgelijk conflict meer zal ontstaan.

8) Als beiden in hun kwaliteiten blijven of beter nog de daaraan gekoppelde uitdagingen aangaan dan zullen zij nauwelijks nog conflicten met elkaar ervaren en waarschijnlijk ook steeds minder conflicten met anderen hebben.

VOORBEELD

(Gebruik hierbij het werkblad in bijlage 9.)

Er is een conflict ontstaan doordat B vaak erg hard en star *is*. Dit is de allergie van A (vijftiende regel van boven eerste tabel kolom allergie). Als je (A) op dezelfde regel twee stapjes naar links gaat, staat daar Zorgzaam. Dit is de kwaliteit van A. Hetzelfde gedrag (hard en star) in de valkuilkolom vind je op de laatste regel van de eerste tabel. Als je dan één stapje naar links gaat, staat daar de kwaliteit van B, namelijk, Ordelijk. Wanneer beiden hun uitdaging aangaan, zal het conflict snel verdwijnen. De uitdaging voor A is dat hij wat meer grenzen moet stellen en de uitdaging voor B is dat hij wat meer flexibel zou moeten worden.

Wanneer je regelmatig conflicten met anderen hebt of als je je vaak aan het gedrag van anderen stoort, kun je met dit schema ook eerst bij jezelf onderzoeken waar dit mee te maken kan hebben. Dat geldt ook als je vaak gepest wordt of zelf mensen pest.

Het schema in bijlage 9 kun je ook als ZELFONDERZOEK gebruiken:

1) Zoek in de kolom ALLERGIE gedrag van de ander op waar je je aan stoort of waardoor je regelmatig met iemand in conflict raakt.
2) Door in het schema naar links te kijken weet je welke KWALITEIT dit veroorzaakt.
3) Door niet in je VALKUIL te schieten die bij deze kwaliteit hoort of in dezelfde regel in het meest rechtervakje van het schema te kijken welke UITDAGING er op je staat te wachten, zul je merken dat je steeds minder vaak conflicten hebt en dat je je steeds minder aan anderen stoort.

Het schema kan je ook helpen bij zelfreflectie, waardoor je zelfvertrouwen zal vergroten. Tijdens de zelfreflectie zie en ervaar je namelijk je kwaliteiten. Als je googelt op kernkwaliteiten vind je diverse sites met nog veel meer schema's rond kwaliteiten en daaraan gekoppelde valkuilen, allergieën en uitdagingen.

5.5 JONGEREN MET EEN ANDERE CULTURELE ACHTERGROND

In *Pubers van nu* (Prinsen, H. en Terpstra, K., 2009) staan diverse aspecten die van belang zijn bij het begeleiden van jongeren met een andere culturele achtergrond. Hieronder wordt een aantal belangrijke beschreven.
Jongeren met een niet-westerse culturele achtergrond vertellen over de geschiedenis van hun ouders vaak verhalen over de tijd waarin hun ouders als gastarbeider naar Nederland kwamen en hoe hard zij destijds hebben gewerkt. Niet zelden is hen daarbij onrecht aangedaan. Deze ouders, de eerste generatie gastarbeiders, zijn hiertegen over het algemeen niet in opstand gekomen. Vaak ook omdat ze, in tegenstelling tot hun kinderen nu, het Nederlands niet of onvoldoende beheers(t)en. Uit loyaliteit naar hun ouders gebeurt het regelmatig dat hun kinderen – de jongeren van nu – extra gevoelig zijn voor ervaren onrecht. Vooral jongens kunnen daarom soms op een heftige of zelfs ongewenste manier hun plek opeisen, terwijl meisjes vaak hun plek verwerven door enorm hun best te doen om te slagen.
Jongeren met een dergelijke voorgeschiedenis zijn daarom vaak nog veel

gevoeliger voor het krijgen van erkenning dan autochtone jongeren. Daarbij vergt het vooral in het begin vaak veel tijd om als begeleider of hulpverlener vertrouwen op te bouwen, om door woord en gedrag te laten weten dat je oprecht contact met hen wilt. Pas als het vertrouwen er is en ze zich erkend weten in wie ze zijn, staan ze ook open voor wat je van ze wilt vragen. Niet zelden gaan ze vanaf dat moment voor je door het vuur. Zo heb ik er verschillende zien veranderen van jongeren die zich soms ernstig misdroegen tot jongeren die zich gemotiveerd gingen inzetten voor een goede toekomst.

Jongeren met een andere culturele achtergrond ervaren vaak een enorme tegenstelling tussen wat thuis van hen wordt verwacht, de manier waarop ze zich dienen te gedragen, en de verwachtingen op school. Als je thuis wordt geacht geen vragen te stellen wanneer een volwassene je iets opdraagt, maar beleefd af te wachten, terwijl op school juist eigen initiatief wordt gewaardeerd, dan zul je op school vaak afwachtend en misschien zelfs sociaal onhandig overkomen en ben je al snel een slachtoffer van pesterijen of ga je zelf pesten. Het omschakelen tussen thuis en de school levert dan vaak stress op en juist dan kun je moeilijk beantwoorden aan wat er van je wordt verwacht. Dat levert teleurstellingen op die een neerwaartse spiraal van onzekerheid in gang kan zetten. Om die reden hebben jongeren met een andere culturele achtergrond vaak meer tijd en aansporing nodig om te doen wat er van hen wordt verwacht. Ze hebben uitdrukkelijk de behoefte te worden aangesproken op hun potentie en gedrag. Ze hebben meer uitnodiging en bevestiging nodig om het gevoel te krijgen dat hun bijdrage wordt gewaardeerd, dat ze er werkelijk toe doen.

De westerse samenleving is sterk gericht op het individu, ieders persoonlijke ontwikkeling, autonomie en verantwoordelijkheid. In niet-westerse samenlevingen is de groep, in het bijzonder de familie, veel belangrijker. Wat iemand doet, werkt altijd door op de gehele groep, de familie. De eer van de familie wordt gezien als bijzonder belangrijk. De loyaliteit tegenover de groep (de familie) is veel groter dan in de westerse samenleving. Jongeren met een niet-westerse achtergrond, die al dan niet vrijwillig met hun familie breken omdat zij tegen de wil van de familie persoonlijke keuzes maken in hun levensloop, betalen daar een enorm hoge prijs voor. Deze jongeren, maar ook degenen die zich wel conformeren aan wat er van hen wordt verwacht binnen de familie, vragen om erkenning van wat hun keuzes voor hen betekenen, om bereidheid tot begrip en respect voor de manier waarop zij zich willen en kunnen ontwikkelen. Omdat de groep zo'n belangrijke rol speelt, zijn veel jongeren met een niet-westerse achtergrond veel gevoeliger voor de manier waarop je hen aanspreekt en welke opdracht ze moeten uitvoeren in een groep dan jongeren met een westerse achtergrond. Om die reden is het vaak veel effectiever om een jongere even apart te nemen en hem dan – buiten de groep en individueel – aan te spreken. Dat voorkomt gezichtsverlies in de groep. Op deze manier vindt er ook geen 'schending van de familie-eer' plaats.

Het gezin is van invloed op de ontwikkeling van pesten of gepest worden. Dit geldt ook voor de cultuur waarin iemand is opgegroeid. Hierbij spelen waarden en normen en boodschappen uit het nest een grote rol. Dit kan soms haaks staan op waarden en normen van de cultuur waarbinnen je op dat moment leeft. Daardoor kun je in een spagaat terechtkomen. Of als je denkt dat je niet aan deze waarden en normen en boodschappen uit je nest (cultuur) kunt voldoen, dan is onzekerheid geboren. Op het moment dat een jongere kiest voor de schoolcultuur, kan hij hierdoor in een loyaliteits-conflict komen met de cultuur van 'thuis'. Dit kan sociaal onhandig gedrag meestal in de vorm van destructief gedrag (pesten) tot gevolg hebben. Dit zie je ook vaak wanneer een gezin uit bijvoorbeeld Losser in Twente naar Amsterdam verhuist. Iedere streek en dus ook de scholen, sportverenigin-gen enzovoort hebben hun eigen cultuur, wat alleen al een bron voor faal-angst en onzekerheid kan zijn. Het is één van de redenen om tijdens een in-dividuele begeleiding zoveel mogelijk rekening te houden met de diverse culturen. Iedereen moet de kennis en vaardigheden binnen zijn eigen cul-tuur kunnen hanteren en toepassen. Denk hierbij vooral aan afstand, macht, individualisering versus de groep/familie, masculien versus feminien.

Veel jongeren uit een niet-westerse cultuur komen uit een masculiene cul-tuur, waar je van je opvoeders adviezen, regels en richtlijnen krijgt. Daar mag je je zwakke kanten en onzekerheid niet laten zien. Dit staat haaks op de houding van een begeleider of hulpverlener, die begrip en geduld heeft en henzelf ook keuzes laat maken. Hierdoor krijgen jongeren een para-doxale boodschap en dit veroorzaakt stress. Wanneer je cultuur het collec-tief (de groep/familie) hoog in het vaandel heeft staan, ben je verward en ervaar je pijn en een loyaliteitsconflict op het moment dat je terechtkomt in een cultuur waar vooral zelfstandigheid, zelfredzaamheid, zelf keuzes ma-ken en verantwoordelijkheid dragen voor je doen en laten, gepredikt wor-den. Ditzelfde geldt als jouw cultuur volgen en behoefte aan regels en richt-lijnen centraal stelt en je komt vervolgens terecht in een cultuur waar autonomie van je verwacht en soms zelfs geëist wordt.

Verder ervaren jongeren uit een niet-westerse cultuur vaak een dubbele binding, namelijk met thuis en met hun omgeving, waarbij de school vaak de belangrijkste is. Martine Delfos beschrijft in haar column 'Het aange-vreten zelfbeeld' dat in gezinnen waar een vaderfiguur ontbreekt, de identificatie met vader niet plaatsvindt. Moeder is onvoldoende in staat tot correcties en hier ontstaat het dilemma van K....marokkanen (zie voor de column: www.mdelfos.nl). Veel niet-westerse jongeren hebben het gevoel dat ze het dus eigenlijk niet goed doen. Om niet zichtbaar te worden bij testen en dergelijke, zie je vaak een hoge sociale wenselijkheid. Dit leert ons dat we hier bij het signaleren en diagnosticeren rekening mee houden.

Bij de begeleiding van niet-westerse jongeren is het volgende belangrijk:
- Praat via een wij-gevoel over gevoelens.
- Werk vooral via een groepsbenadering; laat de jongeren zo min mogelijk opvallen.
- Doe geen oefeningen waarin ze in de spotlights komen te staan.
- Werk in de wij-vorm ('wij denken ...').
- Leg ouders uit dat ze zich niet hoeven te schamen, omdat dit bij volwassen-worden hoort.
- Praat in algemeenheden en hoe anderen hiermee omgaan.
- Onderzoek hoe traditioneel het gezin nog is.

Maar schiet tegelijkertijd ook niet in een kramp, waardoor je steeds moet nagaan hoe je je moet gedragen. Dan worden het gesprek en de begeleiding van deze jongeren een rollenspel of een karikatuur. Wees zelf eerlijk daarin en laat ook je gevoelens zien en spreken.

Voor ouders van leerlingen met een niet-westerse achtergrond, is contact met school niet vanzelfsprekend. Vaak reageren ze in eerste instantie ook niet op schriftelijke uitnodigingen voor ouderbijeenkomsten. Dat vraagt van mentoren, trainers, begeleiders of coaches meer inspanning om hen te betrekken bij de schoolloopbaan of hobby van hun kinderen. Tegelijkertijd is het juist voor deze jongeren heel belangrijk *dat* hun ouders betrokken raken bij de school of sportvereniging. Als daar iets aan de hand is, nemen ouders die de Nederlandse taal onvoldoende beheersen, meestal iemand mee die voor hen tolkt. Niet zelden komt dan de jongere om wie het gaat zelf mee of een oudere broer of zus. Uit eerbied voor de ouders of om hen te sparen wordt datgene wat je als leraar of begeleider zegt zo vertaald dat de boodschap aan ouders sterk verschilt van wat je zei. Dat is in principe geen kwaadwillendheid en is niet bedoeld om te manipuleren, maar wordt ingegeven door de zorg voor de familie.

Om die reden is het belangrijk aandacht te schenken aan degene die tolkt en wat dat voor hem of haar betekent: een tolk die deel uitmaakt van de familie draagt immers een enorme verantwoordelijkheid. Op veel scholen en binnen veel instellingen voor jeugdhulpverlening en (sport)verenigingen nemen om die reden docenten, trainers, begeleiders of coaches met een niet-westerse achtergrond de rol van tolk op zich. Onderlinge persoonlijke verschillen tussen jongeren van een andere cultuur blijken vaak van groter belang te zijn dan de culturele kenmerken van een hele groep. Open en oprecht geïnteresseerd communiceren met elke jongere is daarom belangrijker dan het zoeken naar culturele oorzaken voor hun gedrag.

5.6 HET SCHEMA VAN ONRECHT

In haar boek *Kinderen met gedragsproblemen* (2000) beschrijft Martine Delfos een model dat het gedrag van mensen en kinderen in het bijzonder verduidelijkt. Dit model heb ik verder uitgewerkt tot het schema van onrecht met een vijfstappenplan. Wanneer iemand onrecht wordt aangedaan of onrecht overkomt bij gevaar, angst of spanning, en hij hieraan denkt, komt het stresshormoon vrij. Op dit stresshormoon (bijvoorbeeld tijdens pesten of gepest worden) wordt met bepaald gedrag gereageerd. Dit kan bestaan uit niet of nauwelijks reageren (niet handelen). Als je regelmatig niet handelt in geval van onrecht, dan is dit destructief voor jezelf. Dergelijk gedrag kan leiden tot somberheid en zelfs tot een depressie. Een andere mogelijkheid om te reageren op het stresshormoon is handelend optreden. Dit noemen we *agressie*. *Depressie* noem ik vaak ingeslikte agressie: iemand wil reageren maar doet/kan het niet. Agressie heeft een destructieve kant en ook een – vaak vergeten – constructieve kant. De destructieve kant uit zich in destructief gedrag tegenover vaak onschuldige anderen: pesten, schelden/vloeken, crimineel gedrag, vandalisme enzovoort. De constructieve kant uit zich in assertief gedrag: voor jezelf opkomen, je grenzen aangeven. Mensen die dit weten kunnen kiezen of ze met dit gedrag door willen gaan of willen veranderen. Wanneer ze kiezen voor verandering kunnen ze voor zichzelf uitmaken of ze dit alleen kunnen of er hulp bij nodig hebben. In mijn visie, zoals ik in hoofdstuk 3 beschrijf, ontwikkelt een eventuele onbalans en een eventuele roulerende rekening zich in een relatie.

Daarbij vormt de relatie tussen ouder en kind op basis van de existentiële, verticale loyaliteit de grondslag voor alle andere en toekomstige relaties van het kind. De indirecte schuld en daarmee de aanspreekbaarheid op het vertoonde gedrag bieden mogelijkheden voor begeleiding van het kind, om waar mogelijk de balans tussen geven en ontvangen van dat kind te herstellen en ouders te *ontschuldigen*. Dat vraagt van alle betrokkenen, ouders, jongeren, docenten/mentoren, trainers, begeleiders of coaches dat zij investeren in hun onderlinge relaties. Als iemand onrecht heeft ervaren, en daarmee destructief gerechtigd is en geen genoegdoening krijgt in de situatie waarin het onrecht ontstond, kan het onrecht gemakkelijk op onschuldige derden verhaald worden. Hierdoor wordt deze derden op hun beurt weer (nieuw) onrecht aangedaan. Op die manier kunnen roulerende rekeningen die binnen het gezin van herkomst een rol spelen ook op school of in de maatschappij terechtkomen.

Een roulerende rekening werkt meestal belemmerend en stagnerend op de ontwikkeling van het kind. Een roulerende rekening kan ook op school ontstaan. Neem bijvoorbeeld een docent die met veel vertoon van macht zijn leerlingen onder de duim houdt. Zijn leerlingen durven daar bij hem niet tegenin te gaan, zelfs niet als ze zich ten onrechte beschuldigd voelen van ongewenst gedrag. De docent die diezelfde leerlingen het uur daarna lesgeeft, kan worden geconfronteerd met extra drukke leerlingen. Of hij krijgt de volle laag als een leerling ook maar enigszins denkt dat hij ergens onterecht op wordt aangesproken. In andere gevallen moeten de toiletten het in de pauze ontgelden.

5.6.1. HET DESTRUCTIEVE EN CONSTRUCTIEVE

Roulerende rekeningen hebben invloed op de ontwikkeling en het gedrag van een mens. Vaak roept het onrecht dat iemand bewust of onbewust ervaart spanning op waardoor stress optreedt. In meerdere boeken beschrijf ik op welke manieren mensen op stressvolle situaties kunnen reageren en hoe mannen en vrouwen – en dus ook jongens en meisjes – met ervaren onrecht omgaan. Dit is ook zichtbaar in het schema van onrecht in de volgende paragraaf.

5.6.2. WERKEN MET HET SCHEMA VAN ONRECHT

In het schema van onrecht (zie figuur 5.4) is te zien dat, wanneer iemand onrecht wordt aangedaan of overkomt, niet handelen op den duur tot diverse niveaus van somberheid en uiteindelijk zelfs tot een depressie leidt. De angst neemt namelijk toe en al snel ontstaat er een zich versterkend effect en een aantasting van het zelfvertrouwen. Zoals inmiddels bekend, kunnen mannen en vrouwen en dus ook jongens en meisjes verschillend reageren op ervaren onrecht. Destructief handelen, zoals agressief en grensoverschrijdend gedrag, komt vaker voor bij jongens. Meidenvenijn zoals roddelen en buitensluiten vaker bij meisjes. Crimineel gedrag, pesten, schelden, vloeken en vandalisme komen zowel bij jongens als bij meisjes voor. De

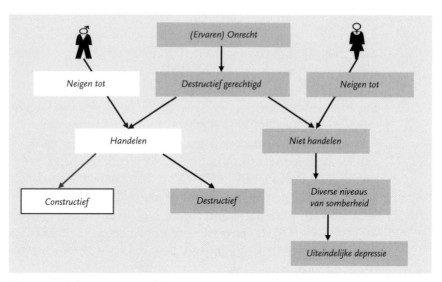

Figuur 5.4. Schema van onrecht
(Bron: *Mentor van nu* K.J. Terpstra en H. Prinsen, 2011)

aard van het destructieve gedrag bij jongens/mannen of meisjes/vrouwen is wel anders. Zo zal een jongen sneller fysiek gedrag zoals slaan en ruzie toepassen, terwijl meisjes meer roddelen en manipuleren. Destructief handelen reduceert weliswaar de stress, maar brengt wel schade toe aan onschuldige anderen en vaak ook aan de persoon in kwestie zelf. Constructief handelen zoals assertief gedrag, voor jezelf opkomen, je grenzen aangeven, reduceert stress maar dan zonder schade. Het geeft juist voldoening en helpt het zelfvertrouwen te ontwikkelen. De verschillende manieren van handelen of niet handelen en de gevolgen daarvan staan weergegeven in tabel 5.1.

In een groepstraining en/of individuele begeleiding kun je met het schema van onrecht een jongere bewust laten worden van zijn onrecht, onbalans, roulerende rekening en de gevolgen van zijn handelen dan wel niet handelen. Het kan hem helpen bij zijn keuze van gedrag te veranderen.

Begeleidingsstappen bij het schema van onrecht
In *Mentor van nu* (K.J. Terpstra en H. Prinsen, 2011) staan vijf stappen beschreven om jongeren die onrecht ervaren te begeleiden. Met vijf stappen kun je als mentor, trainer, begeleider of coach het destructieve dan wel depressieve gedrag kantelen naar constructief gedrag. Na stap 1, erkenning van het onrecht, hebben de daaropvolgende stappen geen dwingende volgorde. Je gaat als begeleider op zoek welke volgende stap passend, dan wel

	Gedrag	**Gevolgen**
Niet handelen	Inslikken Wrokken Verdoven (alcohol/drugs) Vermijden	Depressie Psychosomatische klachten Faalangst Fobieën Schuldgevoel
Destructief handelen Vrouwen en meisjes	Manipuleren Roddelen Buitensluiten Slachtoffergedrag Klagen	Roulerende rekening komt bij derden te liggen Schade aan anderen Schade aan jezelf Frustratie Vervreemding Eenzaamheid
Destructief handelen Mannen en jongens	Ruzie zoeken Hard en meedogenloos optreden Wraak zoeken Macht uitoefenen Afdwingen Wegredeneren	
Constructief handelen	Verbinding zoeken Rechtstreeks aanspreken, assertief zijn Helpende gedachten Sporten Omzetten in creativiteit Verantwoordelijkheid nemen	Zelfvertrouwen Eigengrond: je eigen plek kunnen innemen Integriteit

Tabel 5.1 Verschillende manieren van handelen en niet handelen en hun gevolgen (Bron: Terpstra, K.J. & Prinsen, H. (2011) *Mentor van nu*, Osmo Consult /Onderwijs van nu.)

noodzakelijk, is. Bij elke stap is een meerzijdig partijdige attitude van essentieel belang.

De vijf stappen

Stap 1: Erkenning van het onrecht
Een volwassene en een jongere in het bijzonder zijn pas bereid om hun gedrag daadwerkelijk te veranderen als zij eerst erkend zijn in ervaren onrecht.

Erkenning ontstaat al op het moment dat je vraagt: 'Wat maakt dat jij je destructief/depressief gedraagt?' Of anders geformuleerd: 'Ik weet dat geen mens zomaar iets doet, er gaat altijd iets aan vooraf. Hoe komt het dat jij je zo gedraagt?'

Andere voorbeelden van erkenning zijn:
'Hoe komt het dat je toen ... deed?'
'Wat gebeurde er toen met jou?'
'Ik kan me voorstellen dat je dat moeilijk vond.'
'Ik kan me voorstellen dat je daar boos over bent.'

Door op deze manier met de jongeren in gesprek te gaan, vraag je naar het ervaren onrecht en kun je er erkenning voor geven. Voor veel mensen is erkenning van hun onrecht al voldoende om zich constructief te gaan gedragen. Bijvoorbeeld: op het moment dat ouders een dyslexieverklaring krijgen, is er geen betere school dan die waar hun kind op zit (erkenning van het onrecht, waarna constructief gedrag in zicht is). Tot die tijd vechten ze tegen de school met vaak zeer destructief gedrag. Dikwijls hoor ik: 'Zie je wel, ik heb toch altijd gezegd dat er met mijn kind niets mis is op het gebied van lezen en schrijven.'
Erkenning geven is niet hetzelfde als iemand gelijk geven en het betekent zeker niet partij kiezen. Erkenning geven is de leerling vertellen dat je hem serieus neemt, naar hem luistert, met hem meevoelt en dat je werkelijk geïnteresseerd bent in de herkomst van zijn gedrag. Ook ouders hebben in gesprekken in eerste instantie erkenning nodig voor de manier waarop ze de situatie met hun kind ervaren. Het geven van erkenning heeft een enorme positieve uitwerking zolang dat gebeurt op een meerzijdig partijdige manier. Het geven van erkenning is altijd de eerst noodzakelijke stap. Pas als iemand erkenning heeft gekregen voor zijn beleving van de situatie, kunnen de hierna beschreven stappen volgen.

Stap 2: Erkenning voor het geven in relaties
Bij deze stap ga je op zoek of er een balans is tussen geven en ontvangen. Bijvoorbeeld door vragen te stellen over de thuissituatie, waardoor je een eventuele onbalans op het spoor komt. Het is een noodzakelijke stap om de manier van geven van het kind te benoemen en daarvoor dan ook waardering uit te spreken. Mocht er een onbalans zijn, dan verklaart dit vaak het destructieve of depressieve gedrag. Samen kun je dan uitzoeken hoe je deze onbalans kunt herstellen.

Stap 3: Op zoek gaan naar hulpbronnen

Vaak ben je als mentor, begeleider, trainer of coach de eerste hulpbron. Door op zoek te gaan naar hulpbronnen, het liefst zo dicht mogelijk bij het gezin van herkomst, voorkom je dat je als begeleider in de dramadriehoek terechtkomt, zodat de jongere optimaal kan ontwikkelen. Broers, zussen, neven, nichten, ooms, tantes, vader, moeder, opa's en oma's kunnen vaak fantastische hulpbronnen zijn.

Stap 4: Bewustwording van een roulerende rekening

Als je een jongere inzichtelijk kunt maken dat destructief of depressief gedrag opnieuw onrecht is voor een ander, waardoor die zich op zijn beurt ook destructief of depressief kan gedragen, dan heeft dit een groot oplossend vermogen. Anders gezegd: 'Als ik jou sla loop ik een groot risico dat ik of een ander weer geslagen word.' Het is tijdens een conflict bijvoorbeeld minder handig om te vragen wie er is begonnen. Een betere vraag is: 'Wie gaat er stoppen?'

Stap 5: Op zoek naar ontschuldiging

Ontschuldigen is uitzoeken wat er nodig is om iemand de schuld niet of minder aan te rekenen. Niet door het van tafel te vegen, maar door te benoemen en te onderzoeken wat maakt dat dit onrecht jou is aangedaan of overkomen. Dit maakt je dan vaak mild, zodat je het meestal een emotionele plek kunt geven. Een plek waar je af en toe naartoe kunt en heel boos, kwaad, sacherijnig, verdrietig ... kunt worden, maar waar je ook weer kunt uitstappen, waardoor het je leven niet meer overwoekert en je je leven kunt oppakken. Ontschuldigen is hierdoor een ander proces dan bijvoorbeeld vergeven of verontschuldigen. Ontschuldigen maakt het mogelijk om dat wat er heeft plaatsgevonden te aanvaarden. Op die manier kan de roulerende rekening worden gestopt en kan er een begin worden gemaakt de balans tussen geven en ontvangen te herstellen.

Zo kun je als mentor, trainer, begeleider of coach een jongere in staat stellen zijn ervaringen te verwerken en erdoor te groeien. Zelfs als ouders of de school, instelling of (sport)vereniging hun (indirecte) schuld niet (kunnen) erkennen en dus niet aanspreekbaar zijn op hun gedrag, kan het kind hen toch ontschuldigen en ervoor kiezen zijn destructief recht om te zetten in constructief gedrag. Er zijn veel mensen die nooit de erkenning hebben gekregen voor het onrecht dat hen is aangedaan en desondanks hun leven een constructieve wending hebben gegeven. Ik realiseer me wel degelijk dat het begeleiden van jongeren die onrecht hebben ervaren in hun gezin van herkomst of op school erg moeilijk kan zijn. Het helpen ontschuldigen en daarbij meerzijdig partijdig blijven, vraagt oprechte aandacht en veel vaardigheden van een begeleider. Tegelijkertijd is het goed om te weten dat iedere jongere erbij gebaat is om oprechte aandacht te krijgen en dat voor veel jongeren alleen al het geven van erkenning veel betekent. Dit kan het verschil zijn tussen lekker in je vel zitten en groeien enerzijds en stagneren anderzijds.

5.7 VERWIJZEN IS DOORGEVEN VAN VERTROUWEN

In *Mentor van nu* (K.J. Terpstra en H. Prinsen, 2011) is beschreven wat van belang is als jongeren moeten worden doorverwezen. Als mentor, trainer, begeleider of coach is het goed om te weten wanneer je de begeleiding van een jongere moet overdragen aan iemand die het stokje van jou kan overnemen. Voor ouders geldt dat zij alleen of samen met de school, instelling of (sport)vereniging op zoek kunnen gaan naar een extern deskundige. Op de meeste scholen en instellingen stel je de zorgcoördinator op de hoogte en die zal de jongere dan inbrengen in het zorg- en adviesteam. Dit is een team in een school bestaande uit onder andere: de zorgcoördinator, iemand van het managementteam, de leerlingbegeleider/counselor van de school, een schoolmaatschappelijk werker, een schoolarts, een leerplichtambtenaar, een psycholoog verbonden aan de school en indien gewenst de (wijk)agent. Daarnaast kennen veel scholen ook een zorgteam. Dat team bestaat in hoofdzaak uit personeel van de school zelf. Binnen instellingen en (sport)verenigingen is dit vaak iets anders georganiseerd. Laat je hierover informeren zodat je de juiste stappen zet op het juiste moment. Het Nederlandse schoolsysteem verwacht van iedere school een goede zorgstructuur. De inspectie hanteert dit als een van de belangrijkste kwaliteitscriteria voor haar werk. Vanaf 1 augustus 2014 met de invoering van de wet Passend Onderwijs krijgen scholen zorgplicht. Dat wil onder andere zeggen dat zij voor leerlingen met wie het niet zo goed gaat, moeten aangeven dat zij al het nodige gedaan hebben voor hun schoolloopbaan.

Naar aanleiding van de bespreking in het zorgteam of het zorg- en adviesteam krijg je als mentor, trainer of begeleider te horen naar wie jij de jongere het beste kunt verwijzen of welke begeleiding gewenst is. Dit kan intern de leerlingbegeleider, counselor, coach, decaan of vertrouwenspersoon zijn of een aan de school verbonden schoolmaatschappelijk werker, orthopedagoog of psycholoog. De jongere kan ook naar een externe instantie verwezen worden. Ook hier zal een coach, (school)maatschappelijk werker of orthopedagoog, eventueel een psycholoog, psychotherapeut of psychiater de verdere begeleiding in de vorm van coaching of therapie overnemen.

Wanneer een jongere bij jou in vertrouwen zijn verhaal kan vertellen, is het feit dat je werkelijk luistert op dat moment vaak al voldoende om te helpen. Het getuigt dan van billijkheid, eerlijkheid en betrouwbaarheid als je aangeeft waar je eigen deskundigheid niet meer toereikend is. Voor veel jongeren is de stap naar een andere onbekende deskundige vaak heel groot. Daarom is het verstandig om die stap samen met hem voor te bereiden en hem te helpen het eerste contact te leggen. Zoals in hoofdstuk 3 uitgebreid aan de orde kwam, is het uitermate belangrijk om de ouders of eventuele andere verantwoordelijke opvoeder(s) daarbij te betrekken. Ook is het raadzaam om afspraken te maken over hoe de contacten met betrekking tot de externe begeleiding zullen verlopen om te voorkomen dat de verschillende begeleiders langs elkaar heen gaan werken. Als het goed is ontstaat zo een proces van gedeeld vertrouwen. Verder doe je er goed aan intern naar een collega te verwijzen als de problematiek van de jongere die je begeleidt raakt aan je eigen, vaak nog onverwerkte emotionele ervaringen.

Verwijzen wordt vaak lastig als er tijdens de bijeenkomsten met een leerling een sterke vertrouwensband is ontstaan. Maar juist die band is echt *nodig* om een verwijzing tot een succes te maken. Als je te snel verwijst, zonder dat er van een vertrouwensband sprake is, is de kans op mislukken groot. Uit ervaring weet ik dat bijvoorbeeld bij seksueel misbruik, kindermishandeling en andere zware problemen de jongere niet snel het achterste van zijn tong laat zien. De school en haar begeleiders, maar ook elke andere hulpverlener, worden keer op keer door de jongere getest op betrouwbaarheid. Als je een jongere al na een eerste gesprek wilt verwijzen, is dit gedoemd te mislukken, omdat er dan nog te weinig vertrouwen is opgebouwd. Verwijzen kan dus pas succesvol zijn als er een vertrouwensband bestaat. De mentor, trainer, begeleider of coach die verwijst, moet zijn uiterste best doen het met hem opgebouwde vertrouwen aan de andere begeleider over te dragen. Dit kun je bereiken door de jongere ervan te overtuigen dat de ontstane vertrouwensband niet beschaamd zal worden, dat het voor hem niet passend zou zijn als jij zou doorgaan met begeleiden en dat hij meer geholpen is met een verwijzing naar een begeleider/therapeut die beter bekend is met zijn problematiek. Heel belangrijk is dat een mentor, trainer, begeleider of coach aan de jongere laat weten dat hij de andere begeleider/therapeut kent en weet dat deze te vertrouwen is.

Vaak is de teleurstelling van de jongere groot. Het is essentieel om dat te erkennen en niet van tafel te vegen. Daarnaast zal de nieuwe begeleider/therapeut het verlies van de vertrouwensrelatie met de vorige begeleider moeten erkennen. Voor een zo groot mogelijk succes is het goed als jij en de zorgcoördinator regelmatig met de betrokken deskundigen contact hebben over het handelingsplan. Mijn ervaring is dat dit het beste door de zorgcoördinator van de school kan gebeuren. Deze staat vaak iets hoger in aanzien en heeft meer contact met externe begeleiders. Vervolgens kan de zorgcoördinator de consequenties van het handelingsplan bespreken met de mentor en docenten die aan de betrokken jongere lesgeven. Hierdoor wordt de kans vele malen groter dat de school de jongere biedt wat hij nodig heeft en niets doet wat haaks staat op het handelingsplan. Natuurlijk is het belangrijk dat de zorgcoördinator ook regelmatig contact heeft met de externe begeleider om de vorderingen van de jongere te bespreken. Wanneer de begeleiding door de andere hulpverlener/therapeut eenmaal op gang is gekomen, blijft het belangrijk om regelmatig met de jongere de voortgang te bespreken en na te gaan hoe hij de geboden hulp ervaart. Op die manier blijft de vertrouwensrelatie in stand. Zelfs regelmatig alleen maar vragen 'Hoe gaat het nu?' kan daar al bij helpen. Mijn ervaring is dat er vaak te weinig contact is tussen de hulpverlenende instanties onderling, de school en de externe begeleider.

Het leven duurt te kort om alle fouten zelf te maken,
leer ook van fouten van anderen.

(Herberd Prinsen)

DEEL B

DE PRAKTIJK

HOOFDSTUK 6

DIVERSE OEFENINGEN OM DE VEILIGHEID, HET ZELFVERTROUWEN EN SOCIALE VAARDIGHEDEN TE VERGROTEN

6.1 ALGEMENE INLEIDING

Alle belangrijke theoretische zaken rond het thema pesten zijn mijns inziens aan bod geweest. Dan wordt het nu tijd voor de praktijk. In deel B worden allerlei praktische zaken beschreven zoals: hoe organiseer je het geheel in jouw school, instelling of (sport)vereniging? Hoe zou je in veiligheid kunnen investeren en hoe maak je de context zo dat het zelfvertrouwen en de sociale vaardigheden van ieder tot maximale groei kan komen? Hoe en met wat kun je dit vormgeven tijdens de mentorlessen en/of thematische bijeenkomsten? Dit hoofdstuk staat bol van oefeningen, (huiswerk)opdrachten en *energizers* om die veilige groeiomgeving te creëren. In de bijlagen vind je een lijst met materialen die je kunt gebruiken en waar en hoe je deze kunt aanschaffen. Weet dat alle oefeningen tientallen keren op de doelgroep zijn uitgeprobeerd en telkens weer aangescherpt. Het is goed als er tijdens de bijeenkomsten ook ruimte is voor lol en humor. *Energizers* kun je op diverse momenten in de training gebruiken. Zelf werk ik het liefst met stoelen in een gesloten cirkel, zonder tafels. Op die manier kan ik beter de non-verbale communicatie observeren en hier vervolgens op interveniëren. Behalve een werkelijk welkom is een echt afscheid belangrijk. Zonder afscheid is er te weinig rendement. Dit geldt ook voor een duidelijke nabespreking met bijvoorbeeld een evaluatieoefening. Mijn ervaring is dat er op die momenten heel vaak bewustwording plaatsvindt. Of zoals ik dikwijls zeg: 'Dan vallen vaak muntjes en dit zijn meestal geen kwartjes, maar twee euromunten.' Ik wil iedereen de boeken *Energizer 2* en *3*, uitgegeven door *Leefstijl* van harte aanbevelen.

6.2 OEFENINGEN

Dit ben ik!

Spreid over de grond een flinke hoeveelheid (twee tot drie keer zoveel als er deelnemers in de cirkel zitten) ansichtkaarten en/of foto's. Om de beurt pakt een deelnemer de kaart of foto die iets over zichzelf zegt. De kaart of foto wordt aan de groep getoond en de deelnemer vertelt aan de hand van deze kaart of foto wat over zichzelf.

Achterkant van mijn tong

Voorafgaand aan de eerste bijeenkomst krijgen de deelnemers het verzoek om een kaart of foto mee te nemen, waarmee ze iets over zichzelf laten zien. De deelnemers tonen tijdens de eerste bijeenkomst aan elkaar de kaart of foto en vertellen aan de hand hiervan iets over zichzelf.

Smartphone

Vraag de deelnemers hun sleutelbos, agenda en/of mobieltje te pakken en maak groepjes van twee (als je met een oneven aantal bent, is er één groepje van drie). De duo's zoeken ergens een rustig plekje en vertellen gedurende maximaal zeven minuten per persoon iets over zichzelf aan de hand van de sleutelbos, agenda en/of mobieltje. De ander luistert goed en ontdekt of ervaart een kwaliteit bij de ander en houdt dit voor zich. Dit vertelt hij pas plenair. Na zeven minuten wissel je. Na vijftien minuten vertelt de ene plenair maximaal drie punten die hem hebben geraakt, verbaasd of dingen die hij niet had verwacht en hij sluit af door te vertellen over de kwaliteit die hij heeft ontdekt.

Speeddaten

De begeleider deelt een half A4'tje uit waarop elke deelnemer de volgende vragen beantwoordt:
Naam ...
Leeftijd ...
Hobby ...
Lievelingseten ...
Op zaterdagavond ga/doe ik ...
Favoriete kleding ...
De begeleider verzamelt de ingevulde papiertjes en iedereen krijgt weer een blanco A4'tje met de vragen. Met dit papiertje loopt een deelnemer naar iemand toe en vertelt hem wat hij opgeschreven heeft, daarna doet de ander dit ook. Na twintig seconden roept de begeleider steeds heel hard: 'Wisselen!. Dat betekent dat de deelnemers naar een ander lopen en bij hem weer hetzelfde doen. Na ongeveer zeven minuten roept de begeleider: 'Allemaal zitten!. Dan leest de begeleider iets voor van een briefje en wie dan als eerste roept wie van de deelnemers dat heeft geschreven, heeft een snoepje gewonnen. Dit gaat door tot iedereen minstens één snoepje heeft gewonnen.

Meer van mij

Maak duo's (als je met een oneven aantal bent, is er een trio). De tweetallen
gaan tegenover elkaar zitten en krijgen per persoon een minuut de tijd om
de ander te interviewen. Ze mogen alles vragen, deelnemers hoeven niet
op alles te antwoorden. Vraag elkaar het hemd van het lijf. Na ongeveer
twee minuten krijgt iedereen een blaadje met daarop tien vragen die hij
over de ander moet beantwoorden. Als het niet gevraagd is, kan de deelnemer ook gokken. Na maximaal drie minuten kijkt iedereen de antwoorden
van zichzelf na en geeft alsnog antwoorden op de vragen die niet juist be-
antwoord waren, zodat deelnemers ook deze informatie hebben over de
ander. Mogelijke vragen zijn:

I.   Geboortedatum
II.   Aantal broers en/of zussen
III.   Hobby
IV.   Lievelingseten
V.   Hoeveelste in de kindrij
VI.   Laatste boek of film
VII.   Merk van auto of fiets of scooter
VIII.   Naam ouders
IX.   Laatste vakantieland
X.   Lievelingskleding
XI.   Naam van de basisschool
XII.   Aantal vriendjes
XIII.   Straatnaam
XIV.   Geboorteplaats

De eerste letter is ...

Iedere deelnemer krijgt een memobriefje en schrijft hier zijn naam op.
Daaronder zet hij – onder elkaar – vier letters, die de eerste letters vormen
van de volgende thema's:
– Eén zin of woord van het gevoel van de deelnemer, hier en nu.
– Eén zin of woord van een kwaliteit van de deelnemer.
– Eén zin of woord over de deelnemers laatste vakantie.
– Eén zin of woord over een blunder die de deelnemer ooit heeft begaan.

Als iedereen hiermee klaar is, staan alle deelnemers op en lopen ze op iemand af en stellen ze de persoon die op het briefje staat voor. Dat voorstellen doen ze aan de hand van de letters op het briefje. Vervolgens geeft de
persoon die zich voorgesteld heeft het briefje aan de ander. Die stelt op zijn
beurt de persoon die op het briefje staat aan iemand voor en geeft daarna

zijn briefje door. De eerste keer stelt iemand natuurlijk zichzelf voor, daarna is het telkens een ander. Hopelijk kunnen de deelnemers alles onthouden aan de hand van de beginletters. Tussentijds mag namelijk niets achter de letters worden geschreven. Na drie ontmoetingen mogen de deelnemers gaan zitten en mogen ze achter de letters iets opschrijven. Als iedereen zit, stelt iedereen om beurten de persoon voor die op zijn briefje staat. De begeleider controleert of alles klopt door dit aan de persoon die op het briefje staat te vragen.

Wat ik graag hoor is ...

Maak duo's (als je met een oneven aantal bent, is er een trio). De deelnemers zoeken iemand die ze het minst goed kennen. De duo's zoeken ergens een rustig plekje en interviewen elkaar aan de hand van het blad met het poppetje (zie bijlage). Noteer de antwoorden (heel kort) op of naast de figuur op de bestemde plek. Plenair stelt ieder de ander voor aan de hand van maximaal drie antwoorden. Ze vertellen wat hen het meest heeft geraakt, wat ze bijzonder vonden of niet verwacht hadden. Deelnemers geven het blad aan de persoon die ze hebben geïnterviewd. Thema voor het interview:

- HOOFD: waar ben je mee bezig?
- OOR: wat hoor je graag? Wat hoor je liever niet?
- MOND: waar praat je graag over? Waar praat je liever niet over?
- HART: waar houd je van?
- HAND: wat vind je leuk om te doen?
- VOET: waar sta je voor? En/of waar sta je op? En/of waar ga je voor? Wat doe je over vijf en over tien jaar?

Pak een foto

Iedere deelnemer zoekt uit de foto's op de tafels drie beelden:
- Een foto die het gevoel (hier en nu) van de deelnemer weergeeft.
- Een foto die een kwaliteit van de deelnemer weergeeft.
- Een foto die iets over het nest (gezin van herkomst) van de deelnemer vertelt. Welke plek of rol heb je in het gezin? Hoe warm of hoe groot is het gezin? Word je gezien en krijg je wel eens complimenten? Als iedereen drie foto's heeft gevonden mag de groep gaan zitten. Daarna vertelt iedere deelnemer, met behulp van de foto's, iets over zichzelf aan de hand van de drie thema's.

Voorstellen doen wij zo

Een begeleider loopt rond en geeft iedereen een nummer van 1 tot 4. Dan zegt hij: 'Iedereen staat op en ...':

Alle nummers 1 leggen de handen op het hoofd.
Alle nummers 2 leggen de handen op de schouders.
Alle nummers 3 leggen de handen op de heupen.
Alle nummers 4 leggen de handen op de knieën.

Verder vertelt hij: 'Als je normaal iemand begroet, doe je dat door je handen te schudden, wij gaan onze ellebogen schudden. Loop door elkaar en begroet elkaar door de ellebogen zachtjes tegen elkaar aan te tikken. Spreek je naam, een vriendelijke begroeting en iets waar je goed in bent uit. Bijvoorbeeld: 'Goedemiddag, ik ben ... en ik ben goed in trompet spelen.' Bij iedere nieuwe ontmoeting zeg je weer iets anders waar je goed in bent. Plenair wordt iedereen gevraagd een kwaliteit te noemen van iemand die ze hebben ontmoet.

Ander beroep

Verdeel de deelnemers in groepjes van drie personen. De begeleider zegt: 'Vanaf morgen is er geen onderwijs meer en moeten jullie aan het werk en op zoek naar een beroep. Kijk goed naar je twee groepsleden en noem drie beroepen waarvan jij vindt dat deze heel geschikt voor hen zijn.' Ieder hoort zes beroepen die anderen hem toekennen. Elke deelnemer kiest daaruit één beroep en vertelt dit aan de anderen. De deelnemers horen het beroep van de ander en kennen aan dit beroep drie kwaliteiten toe. Die kwaliteiten worden uitgewisseld, zodat iedereen nu bij zijn gekozen beroep zes kwaliteiten heeft. De deelnemers kiezen bij hun beroep minimaal drie kwaliteiten waarin zij zich herkennen. Plenair staan de deelnemers één voor één op om zich voor te stellen met het beroep dat ze vanaf morgen gaan doen. *Bijvoorbeeld: 'Ik ben Thomas, ik word snackbareigenaar, want ik kan goed met mensen omgaan, lekker eten bereiden en ik ben een goede handelaar.' Nodig de deelnemers uit om met hun lichaamstaal de bijpassende beroepshouding aan te nemen.*

Ikzelf in de etalage

Om deelnemers zichzelf eens even flink in de spotlights te zetten, gaan ze een advertentie maken, niet van een product, maar van zichzelf. De begeleiders zorgen voor voldoende materialen, zoals bijvoorbeeld grote flappen papier, stiften, wasco, plaatjes, kaartjes en ander materiaal. Iedere deelnemer maakt op een flap papier met behulp van het diverse materiaal, een reclameposter voor zichzelf. Veel jongeren reageren eerst met 'ja maar, dat is opscheppen'. Sta samen stil bij het verschil tussen opscheppen en in jezelf geloven. Als iedereen klaar is, hangt iedere deelnemer zijn eigen reclameposter op. De deelnemers lopen langs elkaars posters en plenair gaat iedere deelnemer om beurten bij zijn eigen poster staan en gaat reclame voor zichzelf maken. Hoe goed hij is, wat hij allemaal kan, hoe mooi hij is, hoe eerlijk enzovoort. De andere deelnemers verzamelen zich in een halve kring rond de poster.

Altijd prijs

Op de grond ligt een grote gele kaart. Op de gele kaart staat een situatie. Bijvoorbeeld: tijdens de biologieles doet iemand geregeld vervelend tegen je en je wilt hier met iemand over praten. Hoe ga je dit oplossen? De deelnemers schrijven op een klein geel kaartje hoe ze dit zouden aanpakken. Vervolgens leggen zij de kaartjes met de onbeschreven kant naar boven op de grond rond de grote gele kaart. De kaartjes worden door elkaar gehusseld, omdat bij deze oefening de deelnemers nog anoniem mogen reageren. In de daaropvolgende oefening kan dat niet meer. De tekst op de grote gele kaart wordt door de begeleider nogmaals voorgelezen. De begeleider vraagt iemand om een antwoordkaartje te pakken (dit mag niet zijn eigen kaart zijn) en het antwoord hardop voor te lezen. De voorlezer geeft als eerste feedback en vervolgens doet de rest van de groep dit. Het is handig als je deze manieren van feedback geven op een flap zet.
Feedback:
- Hoe ervaar je dit antwoord/deze aanpak?
- En wat vind je goed aan deze aanpak?
- Heb je nog een tip?

Daar de anderen ook gaan reageren, zal alles wat gezegd is opgeschreven zijn. De begeleider checkt dit door na een bepaalde tijd te vragen of alles gezegd is wat op de kaartjes staat die nu nog op de grond liggen. Als dit zo is, kun je nog een andere situatie oefenen met een andere kleurkaart.
Voorbeelden van situaties:
- Je ziet dat een meisje uit jouw groep/klas regelmatig wordt gepest. Wat doe je?
- Iemand pest jou. Hoe reageer je en/of wat doe je?
- Een jongen in jouw groep pest regelmatig. Wat doe je?
- Iemand stinkt naar zweet. Hoe reageer je en/of wat doe je?

Maden en wormen

Er staan 25 waarden op een bord of flap geschreven. De deelnemers schrijven vijf waarden op die ze belangrijk vinden. Vertel de deelnemers dat ze ieder woord even op zich in moeten laten werken. Je voelt heel snel of het een waarde van jezelf aanduidt of niet. Krijg je er een warm, positief gevoel door of juist niet? Zet die vijf waarden in volgorde van belangrijkheid. Vraag de deelnemers welke rol deze waarden spelen in het dagelijkse leven en hoe anderen zien dat zij deze waarden belangrijk vinden. Hoe laten zij dit blijken in hun gedrag?

Waarden: creativiteit – vriendschap – variatie – plezier – zelfrespect – enthousiasme – verantwoordelijkheid – samenwerking – status – avontuur – leiderschap – harmonie – macht – zuiverheid – rust – onafhankelijkheid – dienstbaarheid – bezit – orde – loyaliteit – privacy – vrijheid – veiligheid – wijsheid – eerlijkheid.

Emotiekwartet

Voordat je met deze oefening begint, wordt er in de groep een lijst met emoties gemaakt. Deze lijst wordt op het bord of op een groot vel papier geschreven. Er worden twee groepen gemaakt. Zonder iets te zeggen kiest een deelnemer een emotie uit de lijst en gaat deze zonder woorden of geluid uitbeelden voor zijn groep. De anderen van zijn groep mogen raden welke emotie wordt uitgebeeld. Als die wordt geraden, heeft deze groep één punt en is de andere groep aan de beurt. Als de groep het niet weet, mag de andere groep het proberen te raden. Als die het wel weet, krijgt die één punt. Weet niemand het antwoord, dan mag de andere groep een emotie uitbeelden. De emoties die geraden zijn, worden van de lijst gehaald.

Anders denken geeft een beter gevoel

De begeleider vertelt een verhaal over Kees die in een nieuwe groep komt. Kees vindt het eng en spannend en heeft allemaal negatieve gedachten. De begeleider maakt trio's, die gaan nadenken over de vraag welke gedachten Kees een prettiger/beter gevoel geven. Vervolgens gaan de trio's een eigen stressvolle situatie bespreken en proberen ze samen andere gedachten te formuleren. Daarbij komen de volgende vragen aan de orde:

– Wat denk je en wat voel je in eerste instantie?
– Wat gebeurt er als je de helpende gedachten gebruikt?
– Wat voel je anders?

De deelnemers stellen zich bij elke nieuwe gedachte de volgende vraag: 'Klopt deze gedachte en helpt deze nieuwe gedachte je?'

Afstandelijk of betrokken?

Een begeleider bespreekt het volgende met de groep: 'Als je beter voor jezelf wilt opkomen, moet je weten wat voor jou belangrijk is, wat je wel en niet prettig vindt, wat je naar of moeilijk vindt. Je lichaam is je vriend. Je lichaam geeft signalen waardoor je kunt voelen dat er een grens bereikt is, of iets prettig is of niet, of iets voor jou goed is of niet. Met deze oefening leer je bewust te luisteren naar signalen van je lichaam en leer je grenzen, afstand en nabijheid aangeven.' Met behulp van deze informatie gaan deelnemers hun grenzen aangeven wat betreft de ruimte tussen hen en de ander die ze nodig hebben om zich prettig te voelen. De deelnemers staan per twee tegenover elkaar, ieder aan een kant van de ruimte. De ene (A) maakt met zijn handen bewegingen die aan de andere (B) duidelijk maken 'kom maar'. Hij roept 'stop' als hij in zijn lijf een signaal voelt, bijvoorbeeld gekriebel of kramp in zijn buik, of als hij het warm of koud krijgt. Als hij zich weer rustig voelt, wordt nog een paar keer geoefend. A onderzoekt met B wat voor hem een goede afstand is, een afstand waarbij hij zich op zijn gemak voelt. De deelnemers nemen hier de tijd voor die ze nodig hebben. Laat ze experimenteren met een stapje voor- en een stapje achteruit om te ervaren of dat ook nog goed voelt. Daarna wisselen ze, A wordt B en B wordt A. Je kunt ze ook nog laten oefenen met verschillende gezichtsuitdrukkingen en lichaamshoudingen om te onderzoeken welke invloed dit heeft.

De duo's bespreken de oefening na aan de hand van de volgende vragen:
– Wat maakt dat jij wel of niet gemakkelijk iemand over je grenzen laat gaan?
– Welke signalen heb je gevoeld?
– Wat zorgt ervoor dat je bij een bepaalde gezichtsuitdrukking of lichaamshouding eerder 'stop' zegt?

Je laat je zomaar vallen

Bij deze oefening is veiligheid heel erg belangrijk. Eén van de begeleiders legt de oefening uit. Hij maakt een kring met alle deelnemers, die overal ongeveer even sterk moet zijn. Zet een grote deelnemer dus naast een kleine en een sterke naast een iets minder sterke. Als de kring naar tevredenheid is gemaakt, nodigt de begeleider één van de deelnemers uit om in het midden te gaan staan om zich, na de uitleg en de werkafspraken, achterover te laten vallen. Hij vertelt dat iedereen gaat en dat je als deelnemer alleen kunt kiezen wannéér je gaat: als eerste, als laatste of ergens in het midden. Nadat de eerste in het midden staat, vertelt de begeleider het stappenplan en de werkafspraken:
– Iedereen die nu in de kring staat, zet zijn sterke been naar achteren, dit been wordt namelijk het meest belast.
– Iedereen doet zijn handen naar voren om de persoon die zich straks in het midden laat vallen op te kunnen vangen.

- De persoon in het midden bepaalt of de afstand te klein, te groot of net goed is. Als het een paar keer goed gaat, stop je en vraag je of de afstand iets groter mag. Probeer de grens te verleggen.
- Vervolgens gaat een begeleider achter de persoon in het midden staan en legt hij zijn handen op de schouders van de deelnemers, die zich zo laat vallen. Hij vraagt hem of hij nu spanning heeft. Als hij 'ja' zegt dan vraagt hij wat zijn krachtigste anker is en of het misschien handig is om dit nu te gebruiken. Als hij 'neen' zegt, dan vraagt hij welk anker hij gebruikt, waardoor hij nu rustig genoeg is.
- Nu zegt de begeleider tegen de deelnemer dat hij zijn ogen moet sluiten, een harde plank moet worden en zijn handen gekruist voor zijn borst moet doen. De reden hiervoor leg ik zo dadelijk uit.
- Daarna vertelt hij dat hij hem zo rond gaat draaien, hij dan naar buiten stapt, samen met de andere begeleider controleert of iedereen goed staat en dan het startteken geeft door te zeggen: 'Laat je maar vallen.' Pas dan mogen de deelnemers zich laten vallen.
- Na het startteken vangen de deelnemers in de kring hem op en zetten hem terug in het midden, waarna hij zich in een andere beweging laat vallen, weer wordt opgevangen en weer teruggezet wordt in het midden. Enzovoort. Hier gaat hij mee door totdat de begeleider het stopteken geeft door hard 'stop' te zeggen.
- De deelnemer opent zijn ogen en kijkt om zich heen wie hem allemaal heeft opgevangen.
- De begeleider vraagt hem hoe het was om zich te laten vallen en zich over te geven aan anderen. Aan een paar deelnemers in de kring vraagt hij hoe het was om op te vangen en vertrouwen te geven en welk anker zij daarvoor gebruikt hebben.
- Na afloop schrijven de deelnemers deze succeservaring bij hun ankers. Het liefst ook met een beeld erbij.

Opmerkingen:
- Er wordt niet alleen in het midden geoefend, maar ook in de kring van deelnemers die opvangen. Zij moeten namelijk vertrouwen geven en zichzelf durven vertrouwen dat ze dit kunnen.
- De persoon in het midden kruist de armen voor zich. De reden hiervoor is dat als een meisje door een jongen moet worden opgevangen hij per ongeluk haar borsten zou kunnen aanraken en haar – alleen door deze gedachten al – zou kunnen laten vallen. Het meisje zal dit ook geen prettige gedachte vinden. Als deelnemers ernaar vragen vertelt de begeleider, dat je de ander zo beter kunt opvangen.

- Let op voor deelnemers die te veel durven en willen.
- De persoon wordt teruggezet en er wordt niet geduwd of gegooid.
- Dit is een serieuze oefening en geen *energizer* of loloefening.
- Zorg voor een duidelijk start- en stopteken.

Foto-expositie

Met deze oefening krijgen de deelnemers inzicht in welke ankers (in de vorm van foto's) ze nog meer hebben, die hen kunnen helpen op de momenten dat dit nodig is. De begeleider heeft diverse foto's en eventueel boemerangkaarten zichtbaar in het midden van de kring gelegd. In de materialenlijst in de bijlage vind je hoe je aan deze foto's kunt komen. De deelnemers worden uitgenodigd om een foto te pakken waar ze vrolijk of blij van worden en ook een foto waar ze bedroefd of verdrietig van worden. Dan gaan ze weer zitten met de bedroefde of verdrietige foto bovenop. Zodra iedereen twee foto's heeft, begint iemand te vertellen waardoor deze foto hem verdrietig maakt. Daarna doet hij hetzelfde met de foto die hem blij maakt. De begeleider kan ook nog vragen stellen als: 'Waar zit jouw vrolijke, bedroefde, verdrietige of blije plekje?' Of als het emotioneel wordt: 'Gaat het nog, kun je nog verder?' Verder is het mooi als de begeleider met vragen en opmerkingen de foto die de deelnemer blij maakt (het liefst op zintuigniveau) weet te ankeren. Nadat alle foto's geankerd zijn, leggen de deelnemers hun foto's terug.

Het werkt erg prettig als de foto's ongeveer even groot zijn of als je ze op een half A4'tje plakt. Zo kun je namelijk de blije foto gedeeltelijk dan wel geheel over de foto schuiven en ervaren wat het effect hiervan is. Verder ervaar je dat soms maar een deel van de foto je verdrietig maakt. Zo kom je er achter wat je werkelijk verdrietig maakt en wat (welk anker) je kan helpen dit gevoel op dat moment te temperen of het volledig te laten verdwijnen.

De deelnemers vertellen zoveel als ze kwijt willen. Let op! Deze oefening kan veel emotie losmaken. Het is goed te onderzoeken of het niet te diep gaat en of het nog verantwoord is. Aan het einde van de oefening, noteren de deelnemers de foto's die nu hun anker zijn geworden in hun agenda of smartphone. Deze kunnen ze gebruiken wanneer ze ze nodig hebben.

Mijn held ...

Met deze oefening krijgen de deelnemers inzicht in eigenschappen die hen kunnen helpen op het moment dat dit nodig is. De begeleider deelt enveloppen met daarin de werkbladjes (zie bijlagen) uit. Eerst sluit iedereen de ogen en probeert zich te identificeren met een dier, plant, held, of iets dergelijks waarmee zij veel affectie hebben. Dit schrijven ze op de voorkant van de envelop. Vervolgens openen de deelnemers de envelop, halen het werkblaadje eruit en vullen dit in. Als iemand klaar is, zoekt hij iemand op die ook zover is en dan wisselen ze met elkaar uit wat ze opgeschreven hebben. Daarna vertelt men om de beurt staande zijn kwaliteiten.

Durf als begeleider door te vragen en vraag of ze er gebruik van gaan maken. Verder is het belangrijk dat de begeleider respect eist voor de gekozen plant of held of het gekozen dier en aan de deelnemers duidelijk maakt dat ze elkaar hiermee niet mogen plagen of pesten. En blijf elkaar herinneren aan de positieve eigenschappen!

Eigengrond door kwaliteiten

De begeleider heeft op verschillende tafels kaartjes neergelegd waar allerlei kwaliteiten op staan. In de materialenlijst in de bijlagen staat hoe je aan deze kaartjes kunt komen. De volgende oefening kun je op verschillende niveaus doen:

o De veiligste manier is de deelnemers uit te nodigen om een paar kwaliteitskaartjes te pakken met kwaliteiten die ze wel eens te horen hebben gekregen van vrienden, klasgenoten, docenten. Als iedereen weer zit, vertelt ieder kort iets over de kaartjes die men heeft gepakt. Iemand vertelt bijvoorbeeld van wie hij dit wel eens te horen krijgt en wat dit met hem doet. Als hij dit heeft verteld, schrijft hij de kwaliteiten in een agenda of smartphone en gebruikt deze wanneer hij ze nodig heeft.

o Een minder veilige manier is dat je de deelnemers uitnodigt om eerst even naar de anderen te kijken en bij hen kwaliteiten te zien. Vervolgens vraag je hen op te staan en voor de andere deelnemer een kwaliteitskaartje te pakken. Terwijl hij hem dit kaartje geeft, vertelt hij kort iets over de kwaliteit. Waar hij deze heeft ervaren of wat hij hier prettig aan vindt. Vervolgens pakt hij weer een kaartje en doet hetzelfde. Deelnemers hoeven niet iedereen een kaartje te geven. Geef zoveel als ze willen of kunnen geven en geef vanuit het hart. Als een deelnemer zelf voldoende heeft ontvangen, gaat hij zitten. Dit is het teken dat hij niet meer wil ontvangen. Anders wordt hij misschien 'overgeven' wanneer iemand meer ontvangt dan hij/zij wil of meer dan hij/zij heeft gegeven. Op deze manier raakt iemand uit balans met alle gevolgen van dien. Als een deelnemer toch nog iets aan iemand die zit wil geven, dan vraagt hij eerst of hij nog iets van hem wil ontvangen. Accepteer ook een 'nee'. Als iedereen weer zit, vertelt iedere deelnemer kort iets over de kaartjes die hij heeft gepakt. Ze vertellen bijvoorbeeld van wie zij dit wel eens te horen krijgen en wat dit met hen doet. Daarna schrijven ze de kwaliteiten in hun schrift of mapje bij hun ankers en gebruiken deze wanneer ze ze nodig hebben.

o Er is ook een variant die nogal eens als heftig wordt ervaren en waarbij vaak veel emotie zichtbaar wordt. Hierbij nodig je de deelnemers uit om een paar kwaliteitskaartjes te pakken met kwaliteiten die ze wel eens van hun ouders te horen krijgen. Als iedereen weer zit, vertelt ieder kort iets over de kaartjes die ze hebben gepakt. Ze vertellen bijvoorbeeld van wie ze dit wel eens te horen krijgen en wat dit met hen doet. Daarna schrijven ze de kwaliteiten in hun schrift of mapje bij hun ankers en gebruiken deze wanneer ze ze nodig hebben.

De mensen om me heen doen me wat

Deelnemers zetten in het midden van een groot vel papier in grote en dikke letters hun naam met een cirkel eromheen. Om die naam heen zetten ze alle mensen en groeperingen met wie ze een relatie hebben, ook hier met cirkels eromheen. Daarna verbinden ze deze mensen met hun cirkel door lijnen te trekken. Ze houden rekening met de volgende items:

– Relaties met wie ze meer verbonden zijn, zetten ze dicht bij hun naam, de relaties waar ze minder verbonden mee zijn zetten ze verder weg.
– Relaties bij wie ze zich goed voelen geven ze een groene lijn; relaties waar ze zich minder bij voelen een rode lijn.
– Relaties met wie ze veel omgaan geven ze een dikke lijn; de andere relaties een dunne of zelfs een stippellijn.
– Ze schrijven bij elke relatie hoelang deze al bestaat.
– Wie met een groep omgaat en met de ene helft ervan een goed contact heeft en met de andere helft een minder goed contact, kan de cirkel in twee delen splitsen en twee lijnen trekken. Als iedereen dit gedaan heeft, worden de vellen opgehangen of neergelegd en iedereen van de groep bekijkt ze. Daarna wordt kort besproken wat opvalt.

Kom uit de dramadriehoek

De begeleider maakt duo's. De één (A) vertelt tegen de ander (B) een conflict waar hijzelf bij betrokken is geweest. Vervolgens draaien ze de stoelen om en gaan met de ruggen naar elkaar toe zitten. A vertelt nu de conflictsituatie aan B. B neemt de rol van de tegenpartij in. Probeer de situatie zo echt mogelijk neer te zetten en reageer zo goed mogelijk vanuit je rol. B bouwt regelmatig een *time-out* in om A de volgende vragen te stellen:

– Welke gedachten en gevoelens spelen bij je?
– Wat zou een goede manier kunnen zijn om dit gesprek te vervolgen?

A oefent in het vervolg van het gesprek met de genoemde manier(en) om een positieve wending aan het gesprek te geven. Vervolgens wordt het ge-

oefende besproken en wordt er geëvalueerd wat de oefening op gevoelsni-
veau heeft opgeleverd. Laat A dit (eventueel in een speciaal schrift) opschrijven als tips. Daarna wissel je, A wordt B en B wordt A.

Draaimolen

Deze oefening is bedoeld om het ijs te breken aan het begin van de infor-
matieavond voor ouders of tijdens de eerste bijeenkomst, mentorles of thematische bijeenkomst. Verder kun je hem ook tijdens bijeenkomsten of
mentorlessen gebruiken om in een hoog tempo te oefenen en zaken bespreekbaar te maken. De ouders of deelnemers maken twee cirkels. De
buitencirkel kijkt naar binnen en de binnencirkel kijkt naar buiten. Je staat
nu in duo's tegenover elkaar (zie figuur 6.1). De begeleider geeft telkens
een thema of onderwerp waarover je in de duo's gedurende twee keer 45
seconden met elkaar spreekt. De begeleider geeft aan wanneer de tijd voorbij is. Na anderhalve minuut geeft de begeleider met een hotelbel, fluitje of
iets dergelijks aan dat de tijd voorbij is, dat de binnencirkel blijft staan en
dat de buitencirkel een plekje naar links opschuift.

Thema of onderwerp waarover in de duo's gesproken kan worden:
– Wat waren je gedachten toen je hier naartoe ging?
– Wat heeft je geraakt vanaf het moment dat je wakker bent?
– Waar ben je met betrekking tot jezelf en je leven tevreden over?
– Waar ben je, wat jezelf en je leven betreft minder tevreden over?
– Wat wil je veranderen?
– Hoe kun je dat bereiken?
– Wat kun jij doen om dit te bereiken?
– Wat kom je nu halen, wat zijn je verwachtingen?
– Wat kom je brengen, wat heb jij anderen te geven of leren?
– Wanneer ben jij aan het einde tevreden?
– Wat hoop je dat ze niet vragen?
– Noem een aantal goede eigenschappen van je kind(eren) (met de ou-
  ders).
– Welk gedrag stoort jou het meest?
– Welk gedrag van jou stoort anderen het meest?
– Hoe wil je herinnerd worden?
– Wat moet er gebeuren zodat jij je in een sociale situatie onprettig voelt?
  En hoe ga je hier dan mee om?
– Welke boodschap uit je nest, die je van je ouders hebt meegekregen, is
  voor jou in sociale situaties of tijdens stress helpend/bevorderend (twee
  keer 45 seconden) en welke is remmend/belemmerend? (Twee keer 45
  seconden).

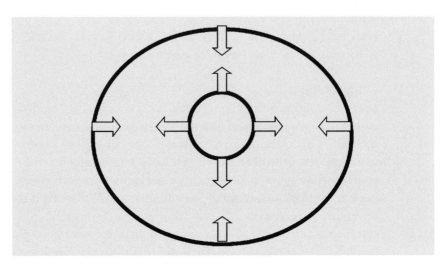

Figuur 6.1. Schema binnen- en buitenkring

Situatiekaartje trekken

Vooraf heb je als begeleider teksten gemaakt, waarin positieve en/of negatieve feedback of kritiek worden geuit. Voorbeelden van situaties:

o Een groepsgenoot zegt dat je stomme ouders hebt.
o Je komt bij je fiets en je ziet dat twee klasgenoten je banden lek prikken.
o Iemand zegt dat je uit je mond stinkt.
o Je wordt gepest door je leraar of een klasgenoot.
o Een jongen in jouw groep pest een ander groepslid.
o Iemand zegt dat de trui die je oma heeft gebreid je niet staat.
o ... (andere actuele situaties).

De deelnemers zitten in een kring. De begeleider staat in het midden van
de kring en houdt de kaarten (met de teksten naar beneden) voor één van
de deelnemers. Die deelnemer trekt een kaart en leest de situatie hardop
voor. Iedereen schrijft in zijn schrift hoe hij zou reageren. Bij deze oefening kun je niet meer anoniem reageren, maar moeten de deelnemers met
de billen bloot. Als iedereen dit heeft gedaan, geeft de begeleider een bal
aan iemand. De bal wordt rond gegooid. De begeleider zegt op een gegeven
moment 'stop'. Hij leest nogmaals het kaartje met de situatie voor en de
persoon die de bal heeft, reageert op de manier die hij heeft genoteerd.

Het masker om te overleven

'Je hebt pas invloed als je van je buitenkant je binnenkant kunt maken!' Deze oefening kan je op weg helpen met dit proces! De begeleider geeft alle deelnemers de opdracht om op de voorkant van een vel A4 printpapier een tekening van hun eigen gezicht te maken, zoals ze denken dat mensen hen zien (het hoeft geen kunstwerk te zijn). Op de achterkant moeten ze vervolgens een tekening van hun eigen gezicht maken zoals mensen hen niet zien. Vervolgens beantwoorden ze de volgende vragen en zetten deze antwoorden op de voorkant:

– Hoe presenteer jij je aan de buitenkant?
– Hoe wil je dat anderen over jou denken?
– Wat doe je hiervoor?

Vervolgens beantwoorden ze de volgende vragen en zetten deze antwoorden op de achterkant:

– Wat hou jij verborgen?
– Wat wil je dat anderen niet over jou denken?
– Wat doe je hiervoor?

Daarna zoekt iedereen iemand op met wie hij dit wil delen. Hierbij kunnen de volgende vragen helpen:

– Bekijk voor beiden (voor- en achterkant) wat de kosten en de baten zijn!
– Is dit het je allemaal waard?

Na ongeveer tien minuten neemt iedereen weer plaats in de kring en vertelt wat hij over zijn kosten en baten wil vertellen. Dit mag ook niets zijn.

Ontvangen is een kunst en geven een geschenk

De deelnemers lopen rond door de werkruimte. Als ze iemand tegenkomen, kijken ze die persoon aan. Ze blijven stilstaan en een van beiden geeft de ander een compliment. Voordat iemand een compliment gaat geven, vraagt hij eerst aan de ander: 'Mag ik je een compliment geven?' Als de ander hiermee instemt, geeft hij hem kort en helder een compliment. De ander bedankt hem en daarna lopen beide deelnemers weer verder door het lokaal. De ander mag niet meteen een compliment teruggeven of reageren op de ander. Na tien minuten gaat iedereen weer in de kring zitten en wordt deze opdracht nabesproken.
Hierbij komen aan bod:

– Wat vond je gemakkelijker, een compliment geven of een compliment krijgen?

- Welke complimenten heb je als prettig ervaren en welke als minder prettig?
- Wat voor complimenten gaf je zelf en welke heb je niet gegeven?
- Waarom vinden veel mensen het zo lastig om complimenten te geven?
- Waarom vinden veel mensen het ook lastig om complimenten te krijgen?

Laat het verwijt waar hij hoort

De begeleider maakt duo's en geeft ze het gelijknamige formulier uit de bijlagen.

Iedereen zit per twee tegenover elkaar en schrijft een verwijt op dat hij wel eens krijgt. De één spreekt het verwijt van de ander naar hem uit. Vervolgens doet hij de volgende stappen:

1. Slik het verwijt en registreer gevoelens en gedachten. Schrijf ze op het formulier.
2. Ga in de verdediging en registreer gevoelens en gedachten. Noteer deze.
3. Splits het verwijt: Wat neem jij, wat laat je bij de ander? Registreer wederom gevoelens en gedachten en noteer deze.

Wissel plenair uit wat het splitsen van een verwijt oplevert.

Mislukrecept

Tijdens deze oefening gaan de deelnemers ervaren en worden ze zich bewust van wat mensen doen die mislukken, falen, zich zielig voelen, een black-out krijgen enzovoort. Alle deelnemers krijgen de volgende (huiswerk)opdracht:

Maak een recept om jezelf in de puree te helpen of om jezelf te saboteren of om te mislukken of om zielig te worden of om een black-out te krijgen. Als begeleider kun je beginnen met het voorlezen van het recept dat jou altijd in de puree heeft geholpen. Het recept bevat alle ingrediënten die hiervoor zorgen. Een paar voorbeelden:

Een zo-word-ik-zeker-gepest-recept: *Men neme een snufje klasgenoten die mij toch nooit aardig vinden, daar giet je stil en teruggetrokken gedrag over en terwijl je het doorroert voeg je nog wat slechte grappen toe. Het geheel breng je op smaak met de tranen die je hebt gehuild. Daarna giet je het in een bakvorm en laat je het rijzen tot zo'n berg waar je niet meer overheen kunt komen. Laat het zo twee uur staan en je weet zeker dat je wordt gepest.*

Een recept-om-je-zielig-te-voelen: *Pak eerst een grote soeppan en stop hier twee telefoontjes naar mensen van wie je weet dat ze niet thuis zijn. Vervolgens voeg je 50 gram gedachten toe dat je eigenlijk nergens welkom bent en dat je geen vrienden hebt. Voeg nog wat niemand-vindt-mij-leuk-kruiden toe. Zet de pan twee*

uur naast je op de bank en begin boven de pan te snotteren dat je toch wel heel
zielig bent. Doe dit totdat het geheel op smaak is. Serveer het met de gedachte dat
jij jouw familie alleen maar tot last bent.

Maaiveld

Met deze oefening maakt iedere deelnemer zijn eigen kwaliteitsmuseum
en ontstaat er een composthoop met nieuw leven (materiaal van wat je zou
willen veranderen). Zorg voor heel veel foto's uit tijdschriften en boemerangkaarten.

Werkwijze:
– Op enkele tafels ligt een groot aantal uiteenlopende foto's.
– Iedereen gaat op zoek naar de sterke en de minder sterke punten van de
  andere deelnemers. En verder naar waar hij individueel goed en minder
  goed in is. De sterke behouden we, bij de zwakke kijken we wat er te verbeteren valt.
– Laat de deelnemers foto's kiezen waarvan zij vinden dat ze iets zeggen
  over de kwaliteit van de anderen en van henzelf. Deze leggen ze op het
  stapeltje oogstveld en schrijven bij elke foto (met gele post-it sticker) welke kwaliteit deze symboliseert.
– Laat de deelnemers foto's kiezen waarvan zij vinden dat ze iets zeggen
  over de zwakke kanten van de ander en henzelf. Deze leggen ze op het
  stapeltje composthoop en schrijven bij elke foto (met gele post-it sticker)
  welk zwakke punt of welke verandering het beeld symboliseert.
– Deelnemers plakken foto's van het oogstveld op een flap-over en schrijven bovenaan de flap 'oogstveld' en onder elke foto welke kwaliteit deze
  weergeeft.
– De flap hangen ze aan de wand.

Als iedereen de flappen heeft opgehangen, hebben we een kwaliteitenmu-
seum. De deelnemers lopen langs elkaars flappen en genieten van alle
kwaliteiten van elkaar.
– De foto's van de composthoop plakken de deelnemers op een flap en bo-
  ven de flap zetten ze 'nieuw leven'.
– In een composthoop ligt bruikbaar afval, de kern van nieuw leven.
– Deelnemers bekijken alle foto's op hun eigen composthoop. Deze foto's
  staan voor verbeterpunten.
– Onder iedere foto schrijven ze welk verbeterpunt deze foto symboliseert.
– Ze hangen deze flap aan de wand.
– Ze bekijken de twee flappen nog even en bepalen voor zichzelf welke

verbeterpunten ze het eerste willen aanpakken en eventueel welke ideeën ze hebben om ze te gaan uitvoeren. Ze Beschrijven dit op het A4tje 'Actieplan'.

Pas op dat deelnemers niet te veel in één keer gaan veranderen!

Kaartjes met positieve en negatieve gevoelens

Deze oefening kun je gebruiken om gevoelens bespreekbaar te maken of om bijvoorbeeld een bijeenkomst te evalueren.

Werkwijze
1. Op tafel liggen open kaarten met prettige en onprettige gevoelens.
2. De begeleider zegt dat hij weet dat iedereen op dit moment een prettig en een onprettig gevoel heeft. Hij geeft dan de opdracht: 'Sta op en kijk tussen de kaartjes en pak het kaartje waar dit prettige en onprettige gevoel op staat.'

Als je deze oefening als evaluatie van een bijeenkomst wilt gebruiken, vraag je aan de deelnemers om te reflecteren op de afgelopen bijeenkomst(en) en dan op te staan om een kaartje te kiezen met het gevoel dat de afgelopen bijeenkomst je geeft.

3. Plenair geeft iedereen een toelichting bij zijn gekozen kaartjes.

Voorbeelden van kaarten met prettige gevoelens:
trots / hoopvol / helder / verlangend / enthousiast / veilig / vol vertrouwen / sexy / energiek / blij / geaccepteerd / nuttig / opgelucht / gewaardeerd / dankbaar / gelukkig / gerustgesteld / gesteund / fit / ontspannen / tevreden / krachtig / ondeugend / goed / opgewonden / voldaan / vrij / verbonden met / verliefd / in balans / vrolijk / op mijn gemak / capabel / aangenaam verrast / optimistisch / waardevol / uitgedaagd / twee blanco kaartjes (waar de deelnemer zelf een gevoel kan invullen).

Voorbeelden van kaarten met onprettige gevoelens:
moedeloos / angstig / boos / bang / beledigd / ondankbaar / opstandig / verveeld / verward / voor schut gezet / verdeeld / verslagen / ongemakkelijk / in de steek gelaten / eenzaam / onveilig / ontevreden / onrustig / schuldig / gestrest / leeg / ongelukkig / jaloers / verdrietig / geïrriteerd / somber / niet serieus genomen / agressief / mislukt / onbelangrijk / overbodig/ zenuwachtig / ongevoelig / uit balans / alleen / gespannen / onzeker / twee blanco kaartjes (waar de deelnemer zelf een gevoel kan invullen).

Belgisch paardrijden

De groep gaat in een kring op de knieën zitten. Jij instrueert: 'We gaan Belgisch paardrijden.' We trommelen met de handen op de grond. De paarden gaan steeds harder. Dan roep je plotseling: '*Bocht naar rechts!*'. En alle deelnemers buigen (vallen) naar rechts. Het getrommel gaat verder. Dan: '*Grote bocht naar links!*' De deelnemers buigen(vallen) naar links. Dan: '*Heuvel op.*' De deelnemers trommelen op de dijbenen. De verschillende commando's kun je herhalen zolang de groep er nog lol in heeft. De oefening zorgt ervoor dat de linker- en rechterhersenhelften weer in balans komen en geeft heel veel energie!

Rupsje-nooit-genoeg

Zet de deelnemers in rijtjes van vier tot zes personen in polonaisestand. De achterste heeft de leiding en de ogen open, de rest de ogen dicht. De leider (achterste) kan de rij in beweging krijgen en sturen door:
– in beide schouders knijpen → lopen
– twee keer knijpen → stoppen
– links of rechts knijpen → naar links dan wel naar rechts gaan.

De knijpjes worden naar voren doorgegeven en als het signaal de voorste heeft bereikt komt de rups in actie. Er zijn interessante parallellen te trekken met leidinggeven. Loopt de leider voorop en sleurt hij de groep mee of (als bij de rups) loopt diegene achter, heeft overzicht en stuurt bij? Voor de anderen: hoe interpreteer je een instructie? Uit de reactie van de anderen krijg je als leidinggevende feedback hoe je instructie wordt geïnterpreteerd en hoeveel vertrouwen ze in jou als leidinggevende hebben. De voorste in het rijtje loopt meestal met de handen vooruit om botsingen tegen deuren, tafels en dergelijke te vermijden. Doet iedereen braaf mee en komen de signalen goed door? Wat als iemand zelf signalen gaat geven en anderen tot verbazing van de leidinggevende opeens iets onverwachts doen?

De ontknoping

Zet iedereen in een dichte cirkel. Iedereen steekt zijn handen uit en grijpt met elke hand één andere hand (niet een hand direct of twee handen naast hem). Geef dan de opdracht dat de gehele groep de kluwen moet ontwarren, zonder handen los te laten, om weer tot een cirkel te komen (soms worden het twee cirkels en niet altijd staat men weer met het gezicht naar binnen). Pas op voor te fysieke toeren en zeg dat het altijd lukt! Leuke en simpele oefening met elke groep vanaf acht personen te doen. Hoe meer deelnemers hoe leuker! Kan leiden tot hilarische Twister-bewegingen.

Meer stevigheid met een symbool

Aan het einde van een bijeenkomst krijgen de deelnemers een (huiswerk)opdracht. Ze nemen de volgende bijeenkomst een symbool mee dat hen herinnert aan een succeservaring met betrekking tot sociale situaties of een periode of plek waar ze zich prettig voelen. Een symbool is iets of iemand. Als het niet mogelijk is om het echte symbool mee te nemen (bijvoorbeeld omdat het te groot is of de persoon overleden is), dan neem je een foto of een tekening mee. Aan het begin van de volgende bijeenkomst probeert de begeleider het symbool bij elke deelnemer te ankeren. Daarmee bedoel ik dat je het symbool, door er vragen over te stellen, zo uitvergroot dat de deelnemer het kan inzetten, mocht hij in een situatie komen die voor hem lastig is. Het symbool kan hem dan helpen de (voor dat moment juiste) beslissing te nemen. Tijdens het ankeren probeer je er ook achter te komen met welk zintuig dit symbool het sterkst waargenomen wordt, om het zo nog sterker te ankeren.

Vragen die je tijdens het ankeren kunt stellen zijn:
– Wat betekent het symbool voor je?
– Waar heb je het gevonden?
– Van wie heb je het gekregen?
– Wat voel je erbij?
– Wat geeft jou precies de kracht?
– Als je het kwijt zou raken, ben je dan ook je kracht kwijt?

Wees voorbereid op sterke emoties. Sommige deelnemers zullen dingen meenemen die hen zeer na aan het hart liggen en hen verdrietig kunnen maken. Dit vraagt om een rustige, respectvolle benadering. Hier geldt: 'Aanvullen mag, afnemen niet.'

Ik ben de moeite waard, omdat ...

Aan het einde van een bijeenkomst krijgen de deelnemers een huiswerkopdracht. Ze gaan aan minimaal drie mensen (begin zo veilig mogelijk) vragen waarom zij de moeite waard zijn. Iedereen schrijft dit voor zichzelf op een speciale bladzijde in het schrift op.

Aan het begin van de volgende bijeenkomst probeert de begeleider woorden of stukjes van een zin of tekst te ankeren. Hiermee bedoel ik in dit geval dat je woorden of stukjes van een zin of tekst zo uitvergroot, door er vragen over te stellen, dat de deelnemer het gevoel krijgt dat hij er mag zijn. Hij doet ertoe. De deelnemer ervaart zo dat zijn geven wordt gezien. Hierdoor zou een eventuele onbalans tussen geven en nemen hersteld kunnen worden. Verder zou hij het ook kunnen inzetten in een situatie die lastig voor hem is.

Vragen die je tijdens het ankeren kunt stellen zijn:
- Wat betekent dit voor je?
- Waarom heb je het aan deze persoon gevraagd?
- Wat maakt hem/haar zo belangrijk voor jou?
- Wat voel je erbij?
- Wat geeft deze tekst jou precies?

Wees voorbereid op sterke emoties. Sommige deelnemers zullen teksten voorlezen die ze nog nooit hebben gehoord of die hen verdrietig kunnen maken. Dit vraagt om een rustige, respectvolle benadering. Ook hier geldt: 'Aanvullen mag, afnemen niet.'

Schouderklopschrift

Geef iedere deelnemer de opdracht dat hij zichzelf de komende week (en het liefst vanaf nu elke week) minimaal drie schouderklopjes geeft. Laat hem dit ook 'lijfelijk' doen, zodat hij het ook echt voelt. Laat hem (eventueel in een speciaal schrift) opschrijven waarvoor hij zichzelf een schouderklopje heeft gegeven. Laat hem ook noteren wat dit voor hem betekent. Zo ervaart hij dat hij bestaat en dat hij ertoe doet. Een waarschuwing vooraf: de deelnemer kan ook tijdens deze oefening sterk emotioneel geraakt worden. Het kan zijn dat hij heftig reageert op complimenten die hij van zichzelf of anderen mag of moet ontvangen.

Ik hoor iets terug over mijn zijn

De begeleider plaatst de deelnemers in twee rijen, met de gezichten naar elkaar. De deelnemers leggen de handen op de schouders van de persoon die tegenover hen staat. Vervolgens zegt hij iets aardigs tegen deze persoon of bedankt hem voor iets dat hij tijdens de bijeenkomst heeft mogen ontvangen of gewoon voor de fijne bijeenkomst. Of hij wenst hem een fijne dag enzovoort. Hierbij drukken ze bewust hun handen iets steviger op de schouders. Daarna wisselen ze.

Boks

De begeleider maakt een kring met de deelnemers. Eén van hen staat in het midden. Deze persoon steekt zijn hand omhoog en rent in de kring langs alle anderen, terwijl hij tegen de andere handen tikt en iets zegt met betrekking tot afscheid.

Je kunt m'n rug op

De begeleider geeft alle deelnemers een kartonnen bordje met een veilig-heidsspeld of een stukje Ducktape. De bordjes hangen of plakken de deel-nemers bij elkaar op de rug. Iedere deelnemer schrijft iets moois op die kartonnen bordjes, zoals een compliment, wat de ander voor hen betekent, waarom hij er voor hen toe doet, waarom hij waardevol is. Of wat maakt hem zo bijzonder, goed of waardevol!

Na ongeveer vijftien minuten, als iedereen bij iedereen iets heeft opge-schreven, haalt iedereen het bordje van zijn rug en leest wat erop staat. Als een deelnemer iets niet snapt of als iets hem negatief raakt, dan vraagt hij om verduidelijking. Plenair vertellen de deelnemers wat ze met het bordje gaan doen.

Groeien is niet groter worden,
maar je bewust worden van je grootsheid.

(Eckhart Tolle)

Wie zich verdiept in het gedrag van jongeren of dat van hemzelf als volwassene, ervaart dat veiligheid creëren in ieders context een rol zal spelen. Binnen dit proces zijn uitkomsten niet altijd voorspelbaar. Dit kan mensen onzeker maken en draagt direct bij aan een positieve spanning, die ik graag 'hoop' noem. Hoop die het persoonlijk functioneren zo kan veranderen dat de kwaliteit van leven en het welbevinden groeien. Het is bijzonder om te zien dat aandacht en erkenning voor pesten en wanneer pesten op ieders agenda staat, sterke prikkels zijn voor alle betrokkenen die zich ontwikkelen, waardoor het zelfvertrouwen, de eigenwaarde en zelfvalidatie stijgen. Hierdoor neemt ook de sociaal-emotionele betrokkenheid toe. Dit alles heeft weer invloed op het functioneren van de jongeren en hun context en ze gaan dan ervaren dat pesten niet meer nodig is. Als je het thema pesten centraal stelt, zal het vooral gaan om het persoonlijke contact (autonomie-competentie-relatie) wat motiverend en belonend is. In sommige gevallen moet je zeker ingrijpen, namelijk als er sprake is van een overtreding en dien je zelfs aangifte te doen bij de politie. Dit geldt in het bijzonder als het om cyberpesten gaat.

Dit boek is bedoeld als een ANWB-paddenstoel: het kan je richting geven welke paden je kunt bewandelen. Er zijn vele mogelijkheden. Welke je kiest is aan jou en wat het beste bij je past. De meeste paden zijn vaak oneffen en niet glad geasfalteerd. Waarschijnlijk ben je na het lezen van dit boek voldoende geïnspireerd om deze oneffen paden te bewandelen. Voor scholen en instellingen geldt dat er een duidelijke en heldere zorgstructuur geformuleerd en zichtbaar moet zijn, waarbinnen een belangrijke rol is weggelegd voor een geschoolde mentor en begeleider.

In dit boek hebben wij geprobeerd een zo compleet mogelijk beeld te schetsen van alle aspecten die samenhangen met pesten. Wat zijn de achtergronden? Waar liggen oorzaken? Bij het slachtoffer? Bij de pester? We hebben een lans gebroken voor een contextuele en integrale benadering voor de begeleiding van jongeren. En we hebben vooral laten zien dat er momenteel een breed scala is aan aanpakken en methodieken voor het voorkomen en bestrijden van pesten. Het is uiteraard lastig om hierin een keuze te maken. Scholen, instellingen en verenigingen kunnen op basis van de beschrijvingen zelf een keuze maken voor een bepaalde methodiek. Hetzelfde geldt natuurlijk voor de oefeningen in deel B. Die zijn eigenlijk allemaal bedoeld voor de dagelijkse praktijk. Van vrijwel elk van deze oefeningen is bekend dat ze effect hebben op gedrag, inzet en motivatie van jongeren.

Op de weg naar een betekenisvol mens, wens ik iedereen een goede reis. Ik wil graag eindigen met een gedicht van Hendrik Hoogland.

Verder gaan

We zijn allemaal maar mensen
de ene met een groot, de ander
met een klein verdriet

en of je het nu wel of niet gelooft
wat ons bezwaart moeten we,
– voor we verder gaan –
een plaatsje geven

dan pas kunnen we verder,
anders niet.

1. Tips en adviezen voor de school, (sport)vereniging, instelling en ouders

o Observeer (het liefst iedere dag) het gedrag van jongeren. En ga met hen in gesprek als je je zorgen maakt.

o Laat jongeren merken dat je ze waardeert om wie ze zijn en niet alleen om wat ze presteren.

o Stop met afleren en ga aanleren. Laat diverse andere manieren van gedrag zien zodat de jongere meerdere keuzes heeft.

o Geef informatie aan jongeren en ouders over plagen, (cyber)pesten en treiteren en over de begeleiding van de school, (sport)vereniging en instelling.

o Geef veel positieve feedback (erkenning) en beloon meer dan je straft. Zo ontstaat een veilig werk- en leerklimaat waarin de jongere zelfvertrouwen kan ontwikkelen.

o De school, instelling of (sport)vereniging heeft een pestbeleid ontwikkeld, waarin afspraken zijn opgenomen om pesten te voorkomen en te bestrijden. Professionalisering van medewerkers, contacten met ouders en direct ingrijpen behoren tot dat beleid. Ook zijn relaties gelegd met de zorgstructuur van de school.

o In het pestbeleid staan ook afspraken over het voorkomen en bestrijden van digitaal pesten. De computers en netwerken van de school zijn zo ingericht dat acties zoveel mogelijk digitaal getraceerd kunnen worden. In het kader van het veiligheidsbeleid zijn afspraken gemaakt met de politie over het doen van aangifte bij ernstig pestgedrag.

o Geef jongeren tips bij het maken van contacten en andere sociale vaardigheden en bij het leren, werken en ontwikkelen.
Liefst intern opgeleide begeleiders of mentoren organiseren mentorlessen en/of thematische bijeenkomsten waardoor de positieve groepsvorming en hierdoor de veiligheid en zelfvertrouwen maximaal kunnen groeien en ontwikkelen. Verder komt het thema pesten, met hoe te voorkomen en wat te doen als het toch ontstaat, nadrukkelijk aan de orde.

o Maak duidelijke (werk/leer)afspraken met de jongeren en hun ouders over een eventueel begeleidingstraject.

o Neem jongeren die gepest worden of die pesten altijd serieus.

o Wees voorspelbaar. Geef duidelijk aan wat je van de jongere verwacht.

o Hou het internetgebruik van de jongere in de gaten. Ga het niet verbieden, want dan gebeurt het stiekem of op een andere plek.

o Onderneem direct actie bij pesten.

o Verdiep je in de digitale wereld van jongeren en leer deze wereld kennen.

o Zet de computer op een zichtbare plek.

o Installeer een goede virusscanner en firewall.

o Leren omgaan met internet hoort bij de opvoeding.

o Tips om de kans te verkleinen dat je kind last krijgt van pesten:

> Leer je kind voor zichzelf en anderen opkomen.

> Nee leren zeggen kunnen kinderen in de veiligheid van het gezin oefenen.

> Leer ze om hulp te vragen en neem dit serieus.

> Geef jongeren de aandacht die ze verdienen. Geef ze het gevoel dat ze ertoe doen.

> Los conflicten op door er over te praten. Zo geef je het goede voorbeeld.

> Heb waardering en respect voor mensen die anders zijn of doen.

> Zorg voor een goed contact met de school, instelling en (sport)vereniging. Benut kansen om in gesprek te gaan en neem contact op als je je zorgen maakt.

2. Verbindende en socratische vragen

Onder verbindend en socratisch communiceren verstaan we vragen stellen met de bedoeling de ander die er antwoord op geeft de waarheid te laten inzien. Dit probeer je te bereiken door steeds opnieuw een verhelderende vraag te stellen naar aanleiding van het gegeven antwoord. Zo krijgen eigen interpretaties geen of nauwelijks kans. Op deze manier probeer je de weg naar wijsheid te ontsluiten.

Als je met jongeren het thema pesten wilt bespreken of als je jongeren individueel wilt begeleiden, dan kun je een aantal vragen en opmerkingen gebruiken. Maak het wel tot je eigen taal; jongeren hebben direct in de gaten of je echt bent. Hoe echter je zelf bent hoe veiliger het wordt en hoe groter de kans dat jongeren meer van zichzelf laten zien.

Voorbeelden van verbindende en socratische vragen en/of opmerkingen zijn:

- Wat gebeurt er als de situatie lastig wordt?
- Wat betekent dat voor jou?
- Wat was jouw gedrag?
- Ben je daar tevreden over?
- Wat wil je me hier nog meer over vertellen?
- Wat heeft je het meest belemmerd?
- Wanneer heb je er nog meer last van?
- Hoelang heb je hier al last van?
- Wat voel je dan? Wat denk je dan?
- Welke gevolgen heeft dit gedrag van jou?
- Zou je het anders willen doen?
- Wat maakt dat je dit zegt?
- Jij geeft aan dat je het soms lastig vindt in sociale situaties te reageren.
- Vertel eens?
- Hmmmmm / Oh, vertel eens verder ...
- Wat zijn je sterke punten?
- Kun je dit verhelderen of uitleggen?
- Wat zou er gebeuren als iemand ... ?
- Hoe zorg jij in de relatie met je ouders (gezin)?
- Hoe probeer jij ondanks alles een prettig kind voor je ouders te zijn?
- Zijn er verwachtingen of boodschappen van je ouders die je kent? Welke zijn bevorderend en welke zijn belemmerend? Heb je ze al aangemaakt?
- Welke hulp van anderen (ouders/docenten/leerlingen) heb je nodig?
- Klopt wat je nu zegt met wat je daarnet zei?
- Hoe heeft de school en hoe hebben de docenten hierop gereageerd?

- Wat komt er als eerste bij je op als je aan thuis denkt?
- Hoe beschrijf jij jouw relatie met je vader en/of moeder?
- Hoe hebben jouw ouders voor jou gezorgd?
- Hoe denk je dat je ouders reageren als jij ze gaat zeggen ...?
- Wat zou je tegen kunnen werken tijdens ...?
- Wat zou je willen dat je ouders zeggen?
- Welke andere mogelijkheden zijn er? Kun je daar een voorbeeld van geven?
- Herken je dit in jouw geschiedenis?
- Is dit ... wat je probeert te zeggen? / Mag ik het zo ... samenvatten?
- Wat geloof je?
- Zou het ook kunnen zijn dat ... ?
- Zou je nog iets willen bespreken of doen met je moeder/vader?
- Vind je jouw moeder en/of vader een goede ouder?
- Hoe is of was de relatie van jouw moeder en/of vader met hun ouders?
- In hoeverre waardeert jouw moeder/vader jou zoals je werkelijk bent?
- Kon of kan jouw moeder van jou ontvangen? Kan ze geven? Kan ze weigeren? Kan ze vragen?
- Op welk vlak wil jij op je moeder en/of vader lijken? Op welk vlak niet?
- Kreeg of krijg je van je moeder en/of vader de ruimte om horizontale relaties uit te bouwen, of heb je die ruimte erg moeten bevechten?

3. Signaleringslijstje

Dit lijstje kun je als leerkracht, begeleider, coach invullen voor de jongeren die in jouw groep/klas/team zitten en met wie jij werkt. Als er op meerdere items 'vaak' gescoord wordt, dan is dit aanleiding om met de jongere en eventueel met zijn groep/klas/team in gesprek te gaan om te onderzoeken in hoeverre pesten of andere zaken belemmerend zijn voor de groei, ontwikkeling, veiligheid, zelfvertrouwen en plezier van hem, maar ook die van groep/klas/team. Als er jongeren gepest worden heeft de groep/klas hier immers ook last van.

Terugtrekkend gedrag trekt zich terug / wordt stil in groepen / geeft geen antwoorden meer op vragen / extreem verlegen	nooit	soms	vaak
Spanning reageert gespannen / krampachtig / nerveus op onverwachte situaties / friemelt en wiebelt als hij wat moet vertellen of voordoen	nooit	soms	vaak
Minder concentreren in gedachten afwezig / kijkt veel om zich heen / resultaten slechter	nooit	soms	vaak
Onzekerheid vraagt vaak om goedkeuring / komt niet of juist onhandig voor zichzelf op	nooit	soms	vaak
Angstig komt vaak niet tegelijk met anderen op school en/of vaak als eerste of juist laatste in de klas / loopt vlak langs de muur, hierdoor rugdekking	nooit	soms	vaak
Vermijden in pauzes kantine mijden / weinig contact met leeftijdsgenoten, meer met volwassenen / treuzelen bij maken van keuzes	nooit	soms	vaak

Clownesk / Negatief gedrag hangt de clown uit / neemt veel dingen niet serieus / gaat in verzet / is vervelend en brutaal	nooit	soms	vaak
In groepen als laatste gevraagd bij groepjes maken / ligt buiten de groep / gaat over zijn grens om aardig gevonden te worden / trakteren / koopt vriendschap (meestal van de pester)	nooit	soms	vaak
Fysiek huilbuien of juist soms onhandige agressie	nooit	soms	vaak
Lichamelijke klachten buikpijn / hoofdpijn / stijve ledematen / bedplassen / misselijk / meldt zich regelmatig ziek	nooit	soms	vaak

4. Tien tips om het zelfvertrouwen van jongeren te vergroten

1. In een vriendelijke, **open sfeer** willen jongeren praten over hun gedachten en gevoelens.

2. Presteren is niet het enige wat telt op school of thuis. Jongeren krijgen de kans om van hun fouten te leren. Geef evenveel aandacht aan **inspanningen** ('Goed geprobeerd') als aan het resultaat.

3. Een leraar/begeleider/coach kan gemakkelijk tonen dat hij een leerling niet minder acht of mag als die faalt op taken of toetsen. Dat versterkt **zelfvertrouwen, competentie** en motivatie.

4. Zorg voor positieve, **intrinsieke motivatie** bij de jongeren. Ze voeren een opdracht uit omdat ze die boeiend, verrijkend en interessant vinden.

5. Een beperkt aantal zeer duidelijke regels of liever afspraken wordt **consequent** toegepast.

6. Er heerst een vast ritme dat **rustgevend** werkt. Elk kind heeft naast inspanning ook ontspanning nodig.

7. Overbevolking, een overdreven drukke inrichting, overdreven lawaai werken alle negatief. De **infrastructuur** van de school (speelplaats, gangen, klaslokalen) is rustgevend.

8. **Relaxatie (ontspannings)oefeningen** kunnen jongeren een goede basis van rust en veiligheid geven.

9. Een goede communicatie met de **ouders** zorgt ervoor dat eventueel pesten, faalangst of sociaal onhandig gedrag eerder wordt opgemerkt.

10. Maak jongeren en hun ouders duidelijk waar ze **terechtkunnen** als er een probleem is.

5. Lijst met te gebruiken materialen

Materiaal en boeken die je kunt gebruiken tijdens vaklessen, mentorlessen, thematische bijeenkomsten, rouwgroepen en individuele gesprekken.

Materiaal	Verkrijgbaar bij	Website
Eigenwijsjes	boekhandel / via website	www.dubbelzes.nl
Vandaag voor kinderen	website	www.tarot.nl
Gevoelswereldspel (Gerrickens)	boekhandel / via website	www.kwaliteitenspel.nl
Kwaliteitskaartjes (Gerrickens)	boekhandel / via website	www.kwaliteitenspel.nl
Vaardighedenspel (Gerrickens)	boekhandel / via website	www.kwaliteitenspel.nl
Kwaliteitskaartjes (Kinderkwaliteitenspel)	CPS / via website	www.cps.nl
Kwaliteitskaartjes (Ken je kwaliteiten)	CPS / via website	www.cps.nl
Inspiratiespel (Gerrickens)	boekhandel / via website	www.kwaliteitenspel.nl
Foto's	via website	www.fotomissie.nl
Fotokaarten (KPC groep)	via website	www.kpcgroep.nl
Fotokaarten (Twynstra Gudde)	via website	www.tg.nl
Foto's (klein) (Wat heb ik te zeggen)	via website	www.lekker-werken.nl
Associatiekaarten (foto's)	via website	www.thema.nl
Verliescirkel	via website	www.in-de-wolken.nl
Vraag-maar-kaartjes	boekhandel / via website	www.spiritual-kids.nl
Kletskaartjes	boekhandel / via website	www.spiritual-kids.nl
Kennismakingsspel (Gerrickens)	boekhandel / via website	www.kwaliteitenspel.nl
Leer- en ontwikkelingspel	boekhandel / via website	www.kwaliteitenspel.nl
Ja-maar-dilemmakaarten	boekhandel / via website	www.ja-maar.nl
Ja-maar-levensvragen	boekhandel / via website	www.ja-maar.nl
Verhaal van de held	via website	www.thema.nl
Duplo poppetjes	speelgoedzaak / via website	www.heutink.nl

Houten poppetjes	hobbywinkel (bijv. Pipoos)	
Lego poppetjes (wereldfamilie)	Rolf BV	www.rolf.nl
Houten poppetjes (familie)	Rolf BV	www.rolf.nl
Energizerboek 2 en 3	boekhandel / via website	www.leefstijl.nl
Leerlingen met een specifieke hulpvraag	boekhandel / via website	www.nauta-giesing.nl

6. Werkblad voor de oefening 'Wat ik graag hoor is ...'

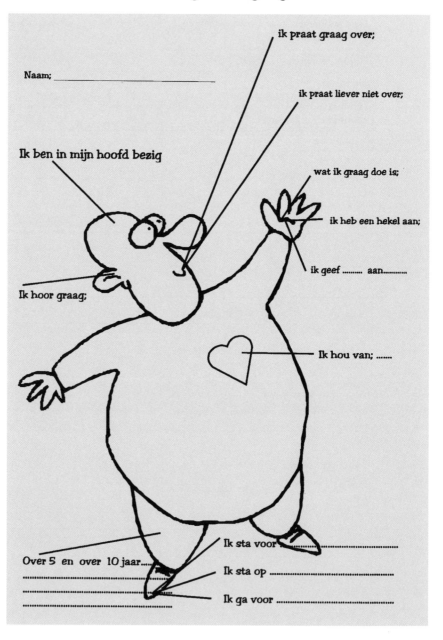

ik praat graag over;

Naam;

ik praat liever niet over;

Ik ben in mijn hoofd bezig

wat ik graag doe is;

ik heb een hekel aan;

ik geef .... aan...........

Ik hoor graag;

Ik hou van; ....

Ik sta voor ....

Over 5 en over 10 jaar.....

Ik sta op ....

Ik ga voor ....

7. Werkblad voor de oefening 'Laat het verwijt waar hij hoort'

Schrijf een verwijt dat je wel eens krijgt op een papiertje. Iemand die tegenover je zit, zegt het verwijt (zie papiertje) tegen jou.

1. Slik het verwijt (neem het 100%)

→ REGISTREER gevoelens en gedachten.

Gevoelens	Gedachten

2. Ga in de verdediging (Ja-maar = 0%)

→ REGISTREER gevoelens en gedachten.

Gevoelens	Gedachten

3. Splits het verwijt: – wat jij neemt
                          – wat laat je bij de ander

→ REGISTREER gevoelens en gedachten.

Gevoelens	Gedachten

Aan het einde kun je met elkaar reflecteren en reageren op de antwoorden.

8. Werkblad voor de oefening 'Mijn held ...'

Je hebt net een dier, plant of held gekozen. Schrijf vijf typische eigenschappen van dit dier of deze plant of held op.

1. _____

2. _____

3. _____

4. _____

5. _____

Welke van deze eigenschappen herken je bij jezelf?
(Waarschijnlijk moet je ze iets anders noemen.)

1. _____

2. _____

3. _____

4. _____

5. _____

Welke van deze eigenschappen van jezelf ga je komende tijd gebruiken of inzetten?

_____
_____
_____
_____

9. Werkblad 'De kracht van de valkuil'

Schema met de vier kolommen:

Kwaliteit	Valkuil	Allergie	Uitdaging
Beheerst	Onpersoonlijk	Onbereikbaar	Empathisch
Harmonisch	Toedekkend	Conflictueus	Direct
Luisteren	Passief	Dominant	Assertief
Rationeel	Onrealistisch	Zeuren	Positief
Perfectionisme	Hoge normen	Onverschillig	Acceptatie
Zelfstandig	Eenzaam	Afhankelijk	Teamwork
Verantwoordelijk	Tobben / Piekeren	Onverschillig	Loslaten
Daadkracht	Drammerigheid	Passief	Geduld
Behulpzaam	Bemoeizucht	Afstandelijkheid	Zelfstandigheid
Relaxt	Onzichtbaar	Zwaar op de hand	Overtuigd
Spontaan	Wispelturigheid	Rechtlijnigheid	Consequent zijn
Flexibel	Alle winden mee ...	Starheid	Standvastigheid
Serieus	Pietluttigheid	Wazig	Creativiteit
Durf	Overmoedigheid	Geremd	Voorzichtigheid
Zorgzaam	Grenzeloos	Hard en star	Grens stellen
Optimistisch	Naïef	Pessimisme	Alert
Beheerst	Onpersoonlijk	Onbereikbaar	Betrokken
Stabiel	Traag	Onbezonnen	Spontaan
Precies	Statisch	Chaotisch	Creatief
Warm / Bewogen	Overgevoelig	Afstandelijk	Beschouwend
Betrokken	Dwepend	Onverschillig	Beschouwend
Reëel	Cynisch	Zweverig	Idealistisch
Aanwezig / Zichtbaar	Arrogant	Onzichtbaar	Bescheiden
Discipline	Dwangneurotisch	Ongedisciplineerd	Los laten
Creatief	Zwevend	Statisch en star	Efficiënt
Kritisch	Rebels	Jaknikker	Respectvol
Open	Gevoelig	Weerstand	Kwetsbaar

Spontaan	Onbezonnen	Passief	Geduldig
Geduldig	Passief	Drammerig	Daadkrachtig
Beschouwend	Afstandelijk	Sentimenteel	Betrokken
Zelfvertrouwen	Arrogant	Middelmatig	Bescheiden
Bescheiden	Onzichtbaar	Arrogant	Zichtbaar werken
Onafhankelijk	Dwars	Onderdanig	Meegaand
Besluitvaardig	Forcerend	Besluiteloos	Ontvankelijk
Betrouwbaar / eerlijk	Saai / Drammerig	Onbetrouwbaar	Betrokken
Ingetogen / gevoelig	Passief	Opdringerig	Creatief
Rust(ig)	Afwachtend	Opdringerig	Creatief
Respectvol / Tactvol	Jaknikken	Rebels	Consensus
Volgzaam	Onderdanig	Eigengereid	Durf
Gehoorzaam	Slaafs	Eigenzinnig	Autonoom
Trouw / Loyaal	Onderdanig	Ongehoorzaam	Kritisch
Humor	Clownesk	Nerd	Serieus
Toegewijd	Fanatiek	Afwachtend	Hulpvaardig
Avontuurlijk	Risicovol	Passief	Durf
Overtuigend	Fanatiek	Meningloos	Relativerend
Moed(ig)	Roekeloos	Aarzelend	Bedachtzaam
Bedachtzaam	Afwachtend	Roekeloos	Durf / Moedig
Meegaand	Onzichtbaar	Eigengereid	Autonoom
Serieus	Nerd	Clown	Relaxt
Idealistisch	Zweverig	Cynisch	Realistisch
Dapper	Waaghals	Angstig	Durven
Gestructureerd	Bureaucratisch	Besluiteloos	Aanpassing / ordelijk
Ordelijk	Hard en Star	Wispelturig	Flexibel

Kwaliteit	Valkuil	Allergie	Uitdaging
Realistisch	Onduidelijk	Precies	Overtuigend
Servicegericht	Grenzeloos	Hard en star	Grenzen stellen
Alert	Paranoia	Blind / naïef	Opmerkzaam
Moed	Roekeloos	Aarzelend	Bedachtzaam
Empathisch	Sentimenteel	Afstandelijk	Beschouwend
Behulpzaam	Bemoeizuchtig	Onverschillig	Loslaten
Vastberaden	Forcerend	Besluiteloos	Ontvankelijk
Loyaal	Onderdanig	Ongehoorzaam	Opbouwende kritiek
Autoritair	Dictator	Zwak / Zeur	Nederigheid
Volgzaam	Slaafs	Eigenzinnig	Zelfstandig
Precies	Traag	Onbezonnen	Souplesse
Gestructureerd	Bureaucratisch	Wispelturig	Aanpassen aan ......
Verbindend	Ondergeschikt	Rebel	Feedback geven
Gehoorzaam	Jaknikken	Eigenwijs	Initiatiefrijk
Stabiel	Pietluttigheid	Onnauwkeurig	Experimenteel
Efficiënt	Statisch	Chaotisch	Innovatief
Rationeel	Onpersoonlijk	Onbereikbaar	Betrokken / Empathie
Opoffering	Burn-out	Onverschillig	Ontspanning
Toegewijd	Fanatiek	Gemakzuchtig	Relativeren
Groeiend	Geobsedeerd	Gelatenheid	Reflectie
Risico nemen	Roekeloos	Aarzelend	Zorgvuldig overwegen
Zelfverzekerd	Elitair	Middelmatig	Bescheiden
Consensus	Egocentrisch	Dwang / eenzijdig	Fairness / billijk
Idealistisch	Naïviteit	Cynisme	Realistisch
Kritisch	Rebels	Ja knikken	Respect
Los / soepel	Onverschillig	Ambitieus	Zorgzaam
Gewoon proberen	Ondoordacht	Erg veel overleggen	Weloverwogen
Zelfstandig	Dwars	Onderdanig	Meegaand

Jaknikken	Onderdanig	Eigengereid	Initiatiefrijk
Soepel	Grenzeloos	Rigide	Ordenend
Rationeel	Afstandelijk	Overgevoelig	Betrokken
Royaal	Opschepperig	Vrek / Zuinig	Passend geven
Betrokken / Zorgzaam	Redden	Afstandelijk / Star	Zorgen
Flexibiliteit	Wispelturig	Starheid	Ordelijk
Veelzijdig	Fanatiek	Afwachtend	Zorgzaam
Precies	Rechtlijnig	Chaotisch	Los kunnen laten
Liefdevol	Jaloers	Koud / Afstandelijk	Afstandelijk betrokken
Sociaal	Claimend	Brutaal	Verbindend
Perfectionisme	Zeuren	Boel de boel laten	Fouten durven maken
Duidelijk	Vastgeroest	Onduidelijk	Verhelderend
Creatief	Chaotisch	Statisch	Precies

10. Voorbeeld van een non-contract

NON–CONTRACT
Van:
Opgemaakt door: ....(mentor/begeleider)

Verklaring
Ik zal *mijn klasgenoten niet steeds belasten met mijn problemen thuis*. De achterliggende reden: Ik heb de neiging *mijn problemen met klasgenoten te bespreken om aandacht van ze te krijgen*. (behoefte)

Preventie
Om te voorkomen dat *ik irritaties en verdriet oproep bij mijn klasgenoten zal ik in geval van nood de volgende drie volwassenen opzoeken*:
1. mijn mentor,
2. de vertrouwenspersoon,
3. de schoolmaatschappelijk werker.

Sanctie
Als ik bovengenoemde oplossing niet toepas, dan zal ik:
1. *naar de klasgenoot toegaan met wie ik het toch besproken heb en mijn excuses aanbieden*,
2. *uitleggen waarom ik het gedaan heb*,
3. *met die persoon samen een leuke activiteit voor in de mentorles bespreken*.

Evaluatiedatum
over *4 weken*

Aldus opgemaakt:

Datum:

Handtekening   Akkoord mentor/begeleider: Akkoord klas/ groep:

(Bron: KPC groep)

11. Voorbeeldbrief van een uitnodiging voor een informatie-(thema)bijeenkomst

..., oktober 20XX

Onderwerp: informatieve (mentor)bijeenkomst met als thema Pesten

Beste ouders / verzorgers van...,

Hierbij nodigen wij u uit voor een informatieve bijeenkomst over het onderwerp 'Pesten' op dinsdag 26 oktober 2012 vanaf 20.00 uur.
Deze bijeenkomst wordt gehouden in de personeelskamer van de school/kantine van de sportvereniging en zal ongeveer anderhalf uur duren. Deze avond is voor ouders/verzorgers van de mentorklas/team van uw kind. Uw kind krijgt alle informatie en begeleiding tijdens de thema/mentorbijeenkomsten. Pesten, gepest worden of meelopen kom je bij veel jongeren tegen. Het komt voor in alle bevolkingsgroepen. Soms is dit voor het kind, de groep en de ouders een plaag en een kwelling en kan dit de resultaten en de kwaliteit van hun leven beïnvloeden.
Op deze avond willen wij samen met u bespreken hoe wij als school/sportvereniging jongeren informeren en begeleiden mocht dit nodig zijn. U zult kort kennismaken met een aantal onderdelen en oefeningen uit de thema/mentorbijeenkomsten.
De volgende onderwerpen worden besproken:
– wat is plagen, treiteren en pesten?
– welke rol heeft de school/sportvereniging en specifiek de mentor/coach/trainer?
– wat verwacht de school van ouders?

Mocht u nog vragen hebben, dan kunt u ons hierover altijd bellen. Wilt u onderstaand strookje (ook als u niet komt) zo spoedig mogelijk bij ons inleveren!

Graag tot ziens op dinsdag 26 oktober.
Met vriendelijke groet,
Mirjam de Jong
Herman Peters

....

Ondergetekende, ouder/verzorger van...

❑ Komt op dinsdag 26 oktober met ..... personen naar de informatiebijeenkomst.
❑ Is helaas verhinderd en neemt alsnog contact op om geïnformeerd
te worden.

Handtekening:

12. Kernbegrippen

Dit boek bevat allerlei termen en begrippen die ook in andere contexten gebruikt worden. Hier volgt een korte uitleg.

Adrenaline
In sociale situaties maken de bijnieren vaak het hormoon adrenaline aan als het lichaam zich klaarmaakt om te vluchten of te vechten.

Cognitieve gedragstherapie (CGT)
Waarschijnlijk is de CGT op dit moment in Nederland de meest gebruikte therapievorm. Het heeft zich bewezen als effectieve therapie voor vele problemen. Het is een mengvorm van gedragstherapie en cognitieve therapie. Het uitgangspunt is dat irrationele gedachten zorgen voor verminderd functioneren van iemand, waardoor deze persoon klachten krijgt. De grondleggers van de CGT zijn Aaron Beck en Albert Ellis. De technieken van CGT staan ten dienste van het veranderen van de gedachten en gedrag.

Context
Ieder mens is verweven in een netwerk van relaties, waarin het geven en ontvangen van (passende) zorg belangrijk is. De context omvat huidige, vroegere (ook overleden) en ook toekomstige relaties: (groot)ouders, pleeg- of stiefouders, adoptieouders, broers en zussen, vrienden en kennissen. Iedereen in een context heeft invloed op alle anderen. Onderscheiden worden: de primaire context (het gezin, de rechtstreekse familieleden, het thuis), de secundaire context (werk, collega's, school) en de tertiaire context (vrije tijd, clubs, Kerk e.d.).

Contextuele therapie
Deze vorm van therapie wordt op vele plaatsen in dit boek beschreven, maar voornamelijk in hoofdstuk 3. De contextuele therapie is onderdeel van de systeemtherapie (zie verderop).

Dialoog
Een dialoog is meer dan de tegenhanger van een monoloog. Vaak wordt gedacht dat een dialoog een gesprek is tussen twee mensen. In de contextuele benadering is een dialoog echter meer dan dat. Het betekent een werkelijke ontmoeting tussen mensen als persoon, gebaseerd op wederzijdse erkenning. Een dialoog heeft een helende werking, omdat de zelfwaardering en zelfafbakening van de gesprekspartners erdoor worden versterkt.

Dynamische driehoek

De dynamische driehoek symboliseert de relationele context van kind, ouder en buitenwereld, in dit boek de mensen op school/sportvereniging enzovoort. Deze zijn met elkaar verbonden door de zijden van de driehoek: de (verticale) zijde van de loyaliteitsband tussen ouders en kind, de (horizontale) zijde van de band tussen ouders en school/sportvereniging en de (verticale) zijde van de band tussen kind en school/sportvereniging. Het gebied binnen de driehoek verbeeldt de ruimte die het kind en/of de jongere heeft om te groeien en zich te ontwikkelen. Worden de relaties (de lijnen) verstoord of verbroken, dan wordt ook de groeiruimte opengebroken, verbrokkeld. De driehoek noemen we dynamisch omdat de verschillende partijen in de relaties voortdurend bezig zijn (dynamiek) met geven en ontvangen. Zolang daarin evenwicht bestaat, zijn er optimale groeikansen voor het kind. Een gebrek aan evenwicht verkleint de ontwikkelingskansen.

Erkennen

Erkennen heeft in dit boek een contextuele betekenis en is meer dan belonen, waarderen, een schouderklopje, bedankje, begrip tonen of terugkoppelen, hoewel dat er wel uitingsvormen van zijn. Je voegt eraan toe wat het voor jou betekent dat de ander dit of dat voor jou heeft gedaan. Erkenning betekent de ander in zijn context aanvaarden, ontmoeten en bevestigen. Twee elementen ervan zijn: erkennen van de verdienste (dat wat hij heeft gedaan) en erkennen van het onrecht dat hem is aangedaan of overkomen. Erkenning leidt tot een vergroting van eigenwaarde en een versterking van de zelfafbakening.

Evenwicht tussen geven en ontvangen

Ieder mens wordt gevend geboren. Het geven moeten worden gezien en gecommuniceerd. Een mens heeft ook recht op ontvangen. Wel moeten beide passend zijn en horen bij de leeftijd. Tussen geven en ontvangen dient evenwicht te bestaan. Als dit langdurig ontbreekt, dan krijgen mensen hier last van.

Feedback

Feedback of terugkoppeling is wat iemand (bijvoorbeeld de jongere) terugkrijgt over zijn prestaties. Feedback kan positief of negatief zijn, en zowel taakgericht als persoonsgericht (op wie je bent). Als ouder geef je je kind feedback op wat hij doet en wie hij is. Het is niet verstandig om negatieve persoonsgerichte feedback te geven. De ander kan hier meestal niets mee en je kunt er iemand dan ook volledig mee afbreken. Van positieve persoonsgerichte feedback groeien mensen. Het vergroot de eigenwaarde en het zelfvertrouwen.

Gestalt

De Gestalttherapie vormt sinds de jaren veertig een aanvulling op de reeds bestaande therapieën. De grondleggers zijn Fritz Perls, zijn vrouw Laura, Ralph Hefferline en Paul Goodman. Door een boek van Georges Lambrechts werd de Gestalt in Nederland en België bekend. Binnen deze benadering zijn de volgende zaken herkenbaar:
- Aandacht voor het gewaarzijn, met name lichamelijk gewaarzijn, ook wel *awareness* genoemd.
- Gericht op het hier en nu en minder op toen en straks.
- De verbinding met de context en de therapeut.
- Veel lijf (gevoel), minder hoofd (gedachten).
- In plaats van er alleen over praten, direct onderzoeken van het effect.
- De mens wordt gezien als eenheid van lichaam en geest.
- Hoe er naar de werkelijkheid gekeken wordt, zo wordt hij ook vaak ervaren.

De Gestalt houdt zich meer met het hoe dan met het wat of waarom bezig. De manier waarop iemand contact maakt, heeft te maken met hoe iemand communiceert, kijkt, doet... Dat zorgt ervoor dat de Gestalttherapeut dat wat hij ziet, hoort, ervaart (gewaarwordt) juist in communicatie brengt. Door dit te verwoorden kunnen cliënt en therapeut samen onderzoeken wat er op de contactgrens gebeurt. Het is de directe actie en het direct uitproberen die voor de verandering zorgen. Bijvoorbeeld: iemand die het lastig vindt zijn gevoelens te tonen, wordt door de therapeut uitgenodigd dit direct uit te proberen en te ervaren wat er dan gebeurt. Dit is binnen een groepsbijeenkomst optimaal mogelijk.

Loyaliteit

Loyaal zijn betekent trouw en betrouwbaar zijn, opkomen voor iemand met wie je een relatie hebt, belangrijk zijn voor die persoon. Hoe sterker de onderlinge band, des te sterker de onderlinge loyaliteit, op basis van evenwicht tussen geven en ontvangen. Loyaliteit bestaat hoe dan ook en is vaak oorzaak van onbalans: hoe slechter de ouders, hoe loyaler het kind. En andersom. Zo kunnen de volgende vormen van loyaliteit onderscheiden worden:
- *Horizontale loyaliteit*, die bestaat in gekozen relaties (partners, vrienden, collega's) en kan eventueel worden beëindigd.
- *Verticale loyaliteit*, die bestaat tussen generaties. Dit is de loyaliteit aan hen van wie men het leven ontving of aan wie men het leven heeft gegeven.

Meerzijdige partijdigheid
Meerzijdige partijdigheid is de attitude of vaardigheid om op te komen voor de belangen van alle betrokkenen (al dan niet aanwezig, al dan niet nog in leven), inclusief de belangen van jezelf. Je hebt begrip voor alle partijen. Je gaat samen op zoek naar oplossingen en je bent niet beschuldigend maar verbindend. Het is iets anders dan je neutraal opstellen. In dat laatste geval is er doorgaans geen sprake van activiteit, terwijl meerzijdige partijdigheid hard werken is. Het is een contextuele grondhouding om beide partijen te respecteren, dus voor beiden partij te kiezen. Dat is kiezen vóór de een en niet tegen de ander, aan beide partijen ruimte geven en respect betonen, oog hebben voor de belangen van beiden.

Neurolinguïstisch programmeren (NLP)
NLP is een veelgebruikte methodiek binnen training en coaching, die in de jaren zeventig in Amerika ontwikkeld werd. De basisgedachte van NLP is dat vaardigheden van de deskundige als techniek aan de cliënt getoond wordt. De grondleggers zijn John Grinder en Richard Bandler. In Nederland is NLP door Jaap Hollander en Anneke Meijer geïntroduceerd. NLP gebruikt veel verschillende, reeds bestaande psychologische stromingen, zoals de hypnotherapie en de gedragstherapie. De mensen die NLP beoefenen, beschouwen NLP als een eclectische manier van werken.
De basis van NLP ligt in het overdragen van verworven vaardigheden van de deskundige op de cliënt, zonder dat deze dezelfde vaak moeizame weg hoeft te bewandelen als de deskundige destijds. Dit gebeurt door middel van het zogenaamde 'modelleren'. Het beeld dat wij vormen van de werkelijkheid is niet altijd juist. Het is vaak een interpretatie of een selectieve waarneming, die een onvolledig en onbetrouwbaar gevoel en/of gedachte tot gevolg hebben. Dit inspireert ons om bewuster om te gaan met gedachten, beelden en beweringen. De verandering die plaatsvindt, is een verandering van perceptie. Door een NLP-interventie richt je je op het onderzoeken van welke positieve intentie er aan ongewenst gedrag ten grondslag ligt. De cliënt wordt geprikkeld om dit bij zichzelf te onderzoeken met als doel de intentie te behouden (bijvoorbeeld rekening houden met anderen) en het gedrag te kantelen, zodat de negatieve effecten niet meer worden ervaren.
Met NLP maak je competenties beschikbaar die de cliënt in een andere context al heeft gebruikt, maar niet op een toegankelijke plek in de hersenen heeft opgeslagen, zodat hij ze ook in andere situaties kan gebruiken. NLP vergroot de toegankelijkheid van de competenties. NLP kijkt vooral naar wat goed gaat en beschouwt een fout als een leerzame bron. Je kunt de

informatie weer gebruiken om gedrag te veranderen. Daarbij wordt ook de achterliggende wens onderzocht, die door feedback weer verandert in een doel. Dit doel moet altijd positief, binnen eigen mogelijkheden en toetsbaar geformuleerd worden. Hierdoor wordt een fout niet als persoonlijk falen gezien, waardoor er geen onnodige energie weglekt voor het werkelijke leerproces. Veel wetenschappers en therapeuten betitelen NLP als een niet wetenschappelijk onderbouwde methodiek. De reactie van Grinder en Bandler hierop is: 'Voor ons is het niet belangrijk wat waar is of hoe het werkt, maar dat het werkt en wat werkt.'

Onrecht
Onrecht kan je worden aangedaan of je overkomen. Als iemand onrecht heeft ervaren, vindt hij dat hij recht heeft op genoegdoening. Genoegdoening begint met erkenning van het onrecht. Als die erkenning uitblijft, wordt deze soms toch gezocht, maar dan bij onschuldige derden in de vorm van destructief gedrag. Dat kan eveneens gebeuren als het onrecht door een ander is aangedaan, maar de schuldige niet kan worden aangesproken.

Ontschuldigen
Ontschuldigen is de schuld niet of minder aanrekenen. Je gaat op zoek naar wat maakt dat jou onrecht is aangedaan. Dit maakt mild. Als bijvoorbeeld ouders hun kind onrecht hebben aangedaan, kunnen in een dialoog tussen ouders en kind omstandigheden en intenties aan het licht komen die tot het onrecht hebben geleid. Dit kan maken dat het kind hen de schuld minder aanrekent. Zelfs als de ouders de schuld niet (kunnen) erkennen, kan het kind hen ontschuldigen. Dat is iets anders dan verontschuldigen (begrip hebben voor het onrechtvaardige gedrag) en ook iets anders dan vergeven (de schuld uitwissen). Als de boosheid over de schuld aanleiding was voor destructief gedrag, dan kan dat vervolgens worden omgezet in constructief gedrag. Zo wordt de roulerende rekening (zie verderop) tot staan gebracht.

Parentificatie
Bij parentificatie is het noodzakelijke evenwicht tussen geven en ontvangen tussen ouders en kinderen uit balans doordat het kind de rol en/of de belangen van een ouder krijgt toebedeeld en deze aanvaardt. Parentificatie hoeft niet altijd destructief te zijn. Als het kind erkenning krijgt voor zijn geven en het geven past bij zijn leeftijd, dan is parentificatie constructief. Dat gebeurt onder andere als het kind de rol krijgt van mede- of hulpouder (zorg voor gezin en huishouden).

Rechtstreeks aanspreken
Dit betekent dat je de ander niet beschuldigend en zonder omwegen zegt wat je wilt zeggen. Het kan gaan om negatieve of positieve boodschappen. Je probeert met zorg en respect voor de ander het evenwicht tussen geven en ontvangen tussen jullie beiden te bewaren en/of te herstellen. Degene die rechtstreeks aanspreekt, moet er rekening mee houden dat de ander zich hier of elders tekort gedaan kan voelen, te veel moest geven, of te weinig heeft ontvangen.

Roulerende rekening
Als mensen onrecht hebben ervaren, zijn zij geneigd de schuld op onschuldige derden te verhalen, waardoor ze op hun beurt opnieuw onrecht veroorzaken. Dat noemen we de roulerende rekening. Het gaat bijvoorbeeld om ouders die het door hun eigen ouders aangedane onrecht vereffenen met hun kinderen, of in andere relaties.

Socratische vragen stellen
Vragen stellen met de bedoeling de ander die er antwoord op geeft de waarheid te laten inzien. Dit probeer je te bereiken door steeds opnieuw een verhelderende vraag te stellen naar aanleiding van een gegeven antwoord. Zo krijgen eigen interpretaties nauwelijks of geen kans en probeer je de weg naar wijsheid te ontsluiten.

Systeemtherapie
Dit is een term die voor uiteenlopende technieken, strategieën en methodieken wordt gebruikt binnen de begeleiding van met name gezinnen met diverse psychosociale problemen. Het staat ook wel bekend als gezins- en relatietherapie, waarbij het gezin of de relatie het systeem is. De systeemtherapie is in het begin van de jaren vijftig in Amerika ontstaan als antwoord op het ontbreken van interventies die erop gericht waren het individu te laten ervaren wat de invloed van zijn context (gezinsleden) is op zijn functioneren. John Weakland wordt gezien als de persoon die het meest heeft betekend voor de verdere ontwikkeling van de systeemtherapie. Paul Watzlawick formuleerde later voor het systeemdenken een aantal stellingen. De systeemtherapie gaat ervan uit dat menselijke problemen ontstaan in de relatie tussen mensen, waarbij het systeem, door het probleem van één van de leden, ook ontwricht raakt. Andersom kan één lid van het systeem het systeem ook weer gezond maken.

Transactionele analyse (TA)

Dit is een behandelmethode die door Eric Berne in de jaren vijftig is ontwikkeld. Binnen de TA gaat men ervan uit dat ervaringen in de vroege levensjaren ervoor zorgen dat mensen later in hun leven bepaalde besluiten nemen over zichzelf en hun omgeving. Deze (positieve of negatieve) besluiten beïnvloeden de levensloop, ook wel het script genoemd. Negatieve besluiten (ik ben niet oké) stagneren de groei en ontwikkeling. Positieve besluiten (ik ben oké) hebben een stimulerende invloed. Er worden drie scripts onderscheiden, die van de winnaar, de verliezer en de niet-winnaar. Binnen TA worden deze scripts onderzocht en met behulp van gedragsveranderingen wordt getracht het script te kantelen. Vooraf wordt er een contract gemaakt met de cliënt.

Veelgebruikte termen binnen TA zijn: stroke, egoposities, dramadriehoek. Een stroke is een klap of een aai, die wordt gebruikt om een positieve dan wel negatieve uitspraak te bekrachtigen. TA onderscheidt drie egoposities van waaruit ieder mens handelt, namelijk de ouder, het kind en de volwassene. In TA wordt geprobeerd vanuit de ene positie een transactie te laten plaatsvinden met een andere positie. De dramadriehoek wordt uitgebreid beschreven in paragraaf 5.3.

Vermijdingsgedrag

Gedrag waarmee een kind/jongere laat zien dat hij liever aan een situatie wil ontsnappen. Het kan zich uiten als uitstellen, afwachten, zich proberen te verbergen.

Weerstand of verzet

Met weerstand beschermen we het meest kwetsbare deel van onszelf. Achter weerstand zit altijd een angst, verlangen of kwetsbaarheid. Veranderen doet pijn en roept verzet op. Vaak wil het kind/de jongere de beoogde gedragsverandering niet gaan uitproberen uit angst voor een onzekere, nieuwe toestand. Dit is meestal een teken van gebrek aan vertrouwen en veiligheid. Je kunt pas veranderen als je het voordeel ervan inziet. Door de weerstand te zien en deze te benoemen (erkennen), kan die ook een bron van energie worden, waarmee je kunt werken en waarmee je het veranderingsproces op gang kunt brengen.

Zelfafbakening

In menselijke relaties gaat het om een wederzijdse behartiging van belangen. Zelfafbakening is beseffen dat je voor je eigen belangen op kunt en mag komen en dat ook doet, zonder dat je daarmee de belangen van de ander negeert.

Zelfbeeld

Het zelfbeeld is de kijk die iemand op zichzelf heeft, de woorden die iemand gebruikt om zichzelf te beschrijven. Het wordt ook wel zelfconcept genoemd. Het bevat de antwoorden op vragen als 'Wie ben ik?', 'Welk beeld hebben anderen van mij?', 'Doe ik ertoe?', 'Ben ik de moeite waard?'. Veel sociaal onhandige kinderen of jongeren die worden gepest of pesten geven negatieve antwoorden op deze vragen.

Zelfvertrouwen

Een positief gevoel dat je ervaart als er eisen aan je gesteld worden om taken uit te voeren. Als iemand geen of een gebrek aan zelfvertrouwen heeft, komt dit vaak tot uiting in angst in de betreffende situatie.

Zelfwaardering

Zelfwaardering, ook wel zelfvalidatie genoemd, betekent dat je beseft dat je 'ertoe doet', dat je de moeite waard bent. Dit ontstaat wanneer jouw (passend) geven is gezien en je er erkenning voor krijgt.

Het mooiste wat je kunt worden is jezelf.

(auteur onbekend)

BRONVERMELDING

Boszormenyi-Nagy I. & Kransen, B.R. (1994) *Tussen geven en nemen; over contextuele therapie*, De Toorts.

Both, D & Bruijn, de A. (2012) *Onderwijs vraagt leiderschap!, Schiedam:* Scriptum.

Crone, E. (2008) *Het puberende brein*, Bert Bakker.

Deboute, G. & Schelstraete, I. (2000) *Pesten gedaan ermee*, Bakermat.

Delfos, M.F. (2000) *Kinderen en gedragsproblemen*, Swets & Zeitlinger.

Dutra-St. John, Y. & Dutra-St. John, R. (2008) *Be the hero*, Challenge Associates Press.

Engelen, I. & Coosemans, I. (2003) *Tieners in de knoei*, Lannoo.

Galenkamp, H., van der Harst, A. & Roelofs, F. (2003) *Ontwikkelen van emotionele intelligentie; praktijkboek voor de leraar*, ThiemeMeulenhoff.

Jolles, J. (2007) *Neurocognitieve ontwikkeling en adolescentie: enkele implicaties voor het onderwijs*, Onderwijs Innovatie.

Kouwenhoven, M. (1983) *Transactionele Analyse in Nederland*, Koninklijke Wöhrmann B.V.

Krowatschek, D. & Krowatschek, G. (2005) *Pesten op school*, Panta Rhei.

Lonnee, H. & Trierum van, A. (2000) *De probleemwijzer*, De Toorts.

Marzano, L. (2012) *Kunst en wetenschap van het lesgeven*, Bazalt.

Meer van der, B. (2002) *Pesten op school*, Van Gorcum.

Meer van der, B. (1993) *Kinderen en pesten*, Kosmos-Z&K uitgevers.

Olweus, D. (1996) *Treiteren op school*. College uitgevers.

Pardoen, J. & Pijpers, R. (2006) *Verliefdheid op internet*, Uitgeverij SWP.

Prinsen, H. & Terpstra, K.J. (2009) *Pubers van nu*, Bohn Stafleu van Loghum.

Prinsen, H. (2009) *Mijn kind een kanjer*, Bohn Stafleu van Loghum.

Prinsen, H. (2010) *Help! Mijn kind heeft faalangst*, Bohn Stafleu van Loghum.

Prinsen, H. (2011) *Trainersboek Faalangst, examenvrees en sociale vaardigheden*, LannooCampus.

Ruigrok, J. (2010) *Handboek Alles over pesten*, Quirijn.

Smith, P. (2000) *EQ-training*, Bosch & Keuning.

Starfire, A. (2010/2011) *Student Survey Report Challenge Day*, www.challenge-day.org/challenge-day-evaluations-research.php

Stevens, L. (2011) *Zin in onderwijs*, Oratie prof. Luc Stevens.

Terpstra, K.J. (2010) *Docent van nu*, Onderwijs van nu.

Terpstra K.J. & Prinsen H. (2011) *Mentor van nu*, Onderwijs van nu.

Tielemans, E. (1994/2009) *Energize II & III*, Quest International.

GERAADPLEEGDE WEBSITES

www.schoolenveiligheid.nl
www.wikipedia.nl
www.pestweb.nl
www.jellejolles.nl
www.carrieretijger.nl/functioneren/ontwikkelen/persoonlijkheidsmodel-
 len/kernkwaliteiten
www.wapenjezelfmetwoorden.nl
www.moed.nl
www.challengeday.org/challenge-day-evaluations-research.php
overdestreep.kro.nl
justbeyou.nl/exclusief-voorlichtingsfilm-tegen-en-over-pesten
www.dekoninginvanrb.nl

ANDERE AANBEVOLEN LITERATUUR

- *Mijn kind een kanjer* (H. Prinsen, Bohn Stafleu van Loghum, 2009).
- *Kinderen en gedragsproblemen* (M. Delfos, Swets & Zeitlinger, 2000).
- *Verliefdheid op internet* (J. Pardoen & R. Pijpers, SWP, 2006).
- *Energize II* (E. Tielemans, Quest International, 1994).
- *Energize III* (E. Tielemans, Quest International, 2009).
- *Mentor van nu* (K.J. Terpstra en H. Prinsen, Onderwijs van nu, 2011).
- *Verschil mag er zijn* (M. Delfos, Bert Bakker, 2008).
- *Pestpokke! een special voor jongeren met feiten en tips over pesten*, Stichting Jeugdinformatie Nederland, december 2000.

De 'Pestpokkekrant' is een uitgave voor alle jongeren vanaf twaalf jaar met tips, feiten en achtergrondinformatie over pesten. Bestellingen: (030) 239 44 55.

BOEKEN SPECIAAL VOOR OUDERS

- *Pesten hoort er niet bij!*
  Informatie en advies voor ouders van kinderen van 8-15 jaar
  Marja Baeten / illustraties Sylvia Weve / Amersfoort Stichting JWI/Op-
  voedingsinformatie, 1993.
  Speciaal bedoeld om ouders een handreiking te geven om actie te ondernemen tegen pesten. Met veel voorbeelden, citaten en adressen van rele-
  vante instanties.
- *Pesten bij kinderen, adviezen aan volwassenen*
  Bob van der Meer / Driebergen, Ouders & Coo, 1996.
  Veel leerlingen op school zijn het slachtoffer van pestgedrag van medeleerlingen. Ingegaan wordt op vragen als: hoe word je pester? Wat halen
  pesters met hun slachtoffers uit? Waarom vertelt het slachtoffer het niet
  gewoon aan ouders en leraren? Wat doet de rest van de klas? Welke kin-
  deren lopen kans zondebok te worden? Zijn de gevolgen voor het gepes-
  te kind te verwaarlozen? Wat is de rol van de leraar? Wat kunnen ouders
  doen?
- *Schelden, schoppen, slaan*
  Ineke Staal / Utrecht, Stichting Jeugdinformatie Nederland, 1995.
  Brochure over agressie bij kinderen.
- *Geweld Genoeg!*
  Gie Deboutte / Stichting Vredeseducatie, 1997.
  Hoe omgaan met geweld in de leefwereld van kinderen en jongeren?
  Getuigenissen, informatie, en tips voor ouders en opvoeders.

BOEKEN VOOR JONGEREN

Het verdient aanbeveling dat er voor de jongere zonodig een volwassene (bijvoorbeeld een ouder, een docent, een begeleider) beschikbaar is met wie hij zijn gevoelens en gedachten naar aanleiding van het lezen van het boek kan delen. Er staan in veel van deze boeken nog al wat heftige scènes.

- *Wie rood is moet slim zijn*
  Elfie Donnelly / illustraties Jansje Bouman
  Amsterdam, Ploegsma, 1990/ISBN: 90 216 1202 X
  Als de burgemeester zegt dat alle mensen met rood haar slecht zijn en dat niemand zich met hen mag bemoeien, vindt de roodharige Carolien het tijd om in actie te komen.
  Vanaf 11 jaar, B
- *Wim*
  Wim Hofman / illustraties auteur
  Amsterdam, Querido, 2006/ISBN: 978 90 451 0242 9.
  Wim heeft het niet prettig thuis; zijn ouders maken ruzie en zijn broer pest hem eigenlijk altijd. Op een dag wordt de eenzaamheid hem te veel en besluit hij weg te lopen.
  Vanaf 11 jaar, B
- *De tasjesdief*
  Mieke van Hooft
  Haarlem, Uitgeverij Holland, 2010/ISBN: 978 90 251 1126 7.
  Alex heeft gezien wie de jongens zijn die zijn oma beroofd hebben. Dat had hij beter niet kunnen zien, want sindsdien chanteren en treiteren die jongens hem op een wel heel akelige manier. Wanneer neemt hij iemand in vertrouwen?
- *Het land achter de vele deuren*
  Marian van der Heiden
  Amsterdam, Ploegsma, 1995 / ISBN 90 216 1198 8
  Alexander van Verremus is een zoon van intellectuele ouders: zijn vader is chirurg en zijn moeder rechter. Op school wordt hij gepest: de anderen vinden hem een watje met zijn lange blonde haren. Vooral twee jongens hebben het op hem gemunt: ze treiteren hem voortdurend en proberen hem te chanteren. Op een dag is hij weer eens op de vlucht voor

zijn twee vijanden en rent in paniek de tuin van een verlaten huis in. Hij raakt verstrikt in een doolhof in die tuin, en wanneer hij denkt een uitgang gevonden te hebben, is hij terechtgekomen in een heel andere wereld. Hier is hij eindelijk de baas, en kan hij anderen onder druk zetten. Hij geniet van zijn nieuwe status, totdat hij zich realiseert dat hij anderen nu net zo erg kwetst als zij hem gekwetst hebben.

Vanaf 11 jaar.

- *Het pest actie plan*
Guy Didelez
Leuven, Uitgeverij Davidsfonds/Infodok, 1999 / ISBN 90 6565 821 1
Sandra is op alle gebieden haantje-de-voorste, zowel in de klas als op de speelplaats. Met haar grote mond en verleidelijke glimlach zet ze haar klasgenoten naar haar hand en palmt ze de leraren in. Groot is haar woede dus als het Turkse meisje Farida haar met haar opstellen de loef afsteekt. Sandra voelt zich ontzettend vernederd en bedenkt de gemeenste middelen om Farida te pesten. Alleen Tim, die een jaartje ouder is en wat meer moeite heeft om Sandra's vlugge geest te volgen, neemt het – tegen de zin van zijn racistische vader – voor Farida op. De bom barst als Sandra het dagboek van Farida uit Tims boekentas steelt en daarin leest dat Farida elke avond in mama's buik kruipt. Wat zou ze daar in 's hemelsnaam mee kunnen bedoelen?

- *Pestmeiden*
Jacqueline Wilson
Leuven, Uitgeverij Davidsfonds/Infodok, 2003 / ISBN 90 76897 06 9
Echte vrienden heeft ze niet. Mandy is vaak alleen en houdt van lezen. Pestkop Kim en haar bende hebben het voortdurend op haar gemunt. Tot wilde, gekke Tanya met knaloranje haren Mandy's wereld binnenstapt. Mandy is bijzonder trots op haar nieuwe vriendin, want Tanya is hip, vrolijk en niet op haar mondje gevallen. Samen hebben ze de grootste pret. De bende van Kim mag wel uitkijken nu Tanya haar vriendin is. Ze zal hen vast een lesje leren. Niet iedereen is zo gelukkig met de nieuwe vriendschap. Mandy's moeder vindt Tanya zelfs wat gemeen. En ze is bang dat Tanya een slechte invloed heeft op haar kleine Mandy. Maar Mandy is ervan overtuigd dat Tanya al haar problemen zal oplossen ...

- *Vechten met Veronica*
Marilyn Sachs / illustraties Sylvia Weve
Amsterdam, Querido, 1983 / ISBN 90 214 3188 2
Niemand durft Veronica Ganz ooit te pesten. Daar heeft ze wel voor gezorgd. Ze is groot, sterk en sluw. Totdat er een nieuwe, kleine en lispelende jongen in de klas komt ...

Vanaf 12 jaar, B

- *Tao, de uitgestotene*
  Justin Denzel
  Amsterdam, Sjaloom, Wildeboer & Altamira, 1991 / ISBN 90 6963 130 X
  Een avontuurlijk verhaal over een jongen die wil schilderen. Hij is geen
  goede jager, doorbreekt de wetten en wordt uitgestoten door de clan. Al-
  leen in de wildernis sluit hij vriendschap met een wolf en met de oude
  Grijsbaard.
  Vanaf 12 jaar, B
- *Uitgestoten*
  Rosemary Sutcliff
  Zeist, Christofoor, 1986 / ISBN 90 6238 272 X
  Het verhaal speelt in Engeland in de Romeinse tijd. De jongen Cunori
  die een schipbreuk voor de kust van Engeland overleeft, wordt opgeno-
  men door een andere stam. Als de oogsten mislukken, wordt hij tot zon-
  debok verklaard en als slaaf naar Rome verkocht.
  Vanaf 12 jaar, C
- *Mes op de keel*
  Gonneke Huizing
  Amsterdam, Sjaloom, Wildeboer & Altamira, 1996 / ISBN 90 6249
  266 5
  Rutger zit zwaar in de problemen. Om zijn zogenaamde 'beschermers'
  op school tevreden te stellen, moet hij steeds meer geld aan ze geven.
  Ten einde raad berooft hij een oude man. Als hij deze later in het zieken-
  huis weer terugziet, loopt deze ontmoeting heel anders dan hij gedacht
  had. Langzaam wordt Rutger betrokken bij een geheim, waarvan de oor-
  sprong in de oorlog ligt.
  Vanaf 12 jaar, C
- *Tirannen*
  Aidan Chambers
  Amsterdam, Querido, 1987 / ISBN 90 214 3156 4
  Met steun van twee vriendinnen tiranniseert en chanteert Melanie beur-
  telings haar klasgenoten. De geheime schoolpleinterreur en de machte-
  loosheid, schaamte en eenzaamheid daartegenover, zijn goed weergege-
  ven in dit verhaal.
  Vanaf 12 jaar, B
- *Spijt!*
  Carry Slee
  Amsterdam, Van Holkema & Warendorf, 1996 / ISBN 90 269 8864 8
  Jochem voelt zich niet erg gelukkig in de tweede klas. Hij is het mikpunt
  van getreiter. David doet er niet aan mee, maar hij durft er niks van te

zeggen. De klassenleraar, die gymnastiek geeft, grijpt evenmin in. Hij heeft een hekel aan dikke Jochem. Jochem lijkt zich niets aan te trekken van de pesterijen die elke dag erger worden, want als de klas weer eens dubbel ligt, lacht hij zelf mee. Maar op een ochtend krijgen ze van de rector te horen dat Jochem na de klassenavond niet is thuisgekomen. David voelt zich schuldig: waarom heeft hij zijn mond ook nooit opengedaan? Samen met een vriendin gaat hij Jochem zoeken om te zeggen dat het hem spijt. Als ze Jochems tas in het meer vinden, is het misschien al te laat ...
Vanaf 12 jaar, C

- *Raspoetin*
Guy Didelez
St Niklaas, Abimo Uitgeverij, 2007/ISBN: 978 90 593 2373 5.
Bram, Sofie en Bert willen zich ontfermen over hun gloednieuwe klasgenoot Peter. Hij is een teruggetrokken stotteraar die vanwege zijn spraakgebrek door een leraar gepest wordt. Maar al gauw komen ze tot de ontdekking dat Peter wijzer en weerbaarder is dan zij.
Vanaf 13 jaar, C

- *Een klap voor je kop*
Ulf Stark
Rotterdam, Lemniscaat, 1990 / ISBN 90 6069 761 8
Voor de zoveelste keer verhuizen Tias, zijn zusje Linda en hun moeder. De dorpsschool zal goed zijn voor Linda, die in Stockholm gepest werd met haar slepende been. Dat valt echter tegen: onder leiding van Svempa terroriseren vier jongens de klas.
Vanaf 13 jaar, C

- *Het wonderlijk verhaal van Hendrik Meier en zes andere verhalen*
Roald Dahl
Utrecht, De Fontein, 1978 / ISBN 90 261 0148 1
In het verhaal 'De zwaan' wordt een dromerig vogelvriendje het slachtoffer van een gewelddadig verjaarsgeschenk.
Vanaf 13 jaar, C

FILMS EN VIDEO'S VOOR JONGEREN

Het verdient aanbeveling deze films samen met een volwassene (ouders, begeleider, docent, coach) te bekijken. De meeste bevatten nogal heftige scènes. Verder is het goed dat jongeren na het bekijken van de film er met een volwassene over kunnen praten.

- *Ben X* (2007)
  De op ware feiten gebaseerde Belgische film gaat over Ben, een licht autistische jongen. Hij lijkt te leven in een universum, dat zich voor een groot deel afspeelt in de wereld van de computergames. In de échte harde werkelijkheid van de technische school is hij dagelijks het doelwit van pesterijen. Dit maakt zijn leven tot een hel. Hij heeft een internetvriendin in het spel die hem te hulp komt.
  Het begin van de film is indrukwekkend. We lijken terecht te zijn gekomen in een computerspel. Dan wordt het verhaal gestart over Ben. Een speciale, moeilijke jongen, zo roepen alle specialisten. Ben gaat iedere dag met de bus naar school. Hij heeft al vele scholen bezocht en is steeds weer het doelwit van pesterijen. Ook op deze school is het niet anders. Twee knapen hebben het in het bijzonder op Ben voorzien en gaan heel ver met hun pesterijen. Ben heeft zo zijn vaste ritueel: 's morgens voor het ontbijt en voordat hij naar bed gaat, speelt hij het spel. Hij heeft een behoorlijke sterke positie opgebouwd in het spel en heeft ook een vriendinnetje gevonden die hem berichten stuurt. Als Ben het moeilijk heeft, vertelt hij haar van zijn problemen en dat hij bijna 'dood' is, maar in het spel is dood toch iets anders dan in de werkelijkheid.
  De film start de titelrol als in een computerspel. We zitten daar middenin. Vervolgens krijgen we door de film heen commentaar van zijn ouders, zijn docenten, maar ook denkt Ben hardop. Het verhaal dat wordt verteld, zou zo in een campagnefilm tegen pesten op school kunnen passen. De situaties die worden geschetst zijn conform de werkelijkheid. Kinderen zijn keihard en soms meedogenloos. Die éne scène lijkt 'over de top', maar ik weet zeker dat veel mensen dit herkennen. De manier waarop Ben, een autistische jongen notabene, er niet mee om weet te gaan, is ook werkelijkheid. Een autistische jongen begrijpt de context niet. Hij ziet alles, maar weet geen verbanden te leggen die het tot een to-

taal plaatje maken. Het échte leven is onvoorspelbaar ... een computer-spel niet!

Greg Timmermans speelt overtuigend zijn rol. Ben X heeft ook een pri-meur, want het is de eerste film waarbij een filmmaker in cyberspace, met virtuele acteurs aan de slag is gegaan. Niet zomaar een film over pesten, maar een hele goede, die eigenlijk verplichte kost zou moeten zijn voor scholieren en docenten van zowel basis- als middelbaar onder-wijs!

- *Bluebird* (2005)
  Bluebird vertelt het verhaal van brugklasser Merel, die van de ene op de andere dag het slachtoffer wordt van pestende medeleerlingen. Het meisje verandert van een vrolijke tiener in een in zichzelf gekeerd kind. Vanaf 12 jaar.
- *Bridge to Terabithia* (2007)
  Dit is een bioscoopfilm over pesten, vriendschap, familie en de kracht van de verbeelding. Jess is een buitenbeentje op school en binnen zijn eigen gezin. Leslie is het nieuwe opvallende meisje op school. De twee worden al snel de beste vrienden die samen alle pestkoppen aankunnen. Vanaf 10 jaar. Website: Bridge to Terabithia.
- *Daar hoeft het geen oorlog voor te zijn*
  De film maakt een koppeling tussen de Tweede Wereldoorlog en pesten. Let op: deze video is NIET los te koop maar is onderdeel van het lespak-ket *Verzet je!* Vanaf 12 jaar. Te bestellen bij: www.art1.nl/shop
- *Hoe Nikita een paard kreeg*
  Speelse documentaire over een klein Amsterdams meisje dat vreselijk gepest werd in het basisonderwijs. Een paard bracht de ommekeer in haar leven. Vanaf 10 jaar. De documentaire staat op de dubbel dvd 'Echt gebeurd' met vijftien jeugddocumentaires van Villa Achterwerk en is te koop bij de VPRO.
- *Klass* (2009)
  Een indrukwekkende speelfilm over hoe twee jongens, tot het uiterste getergd en vernederd door hun klasgenoten, worden gedreven tot een wanhoopsdaad. In de film komt duidelijk naar voren dat pesters vaak geen idee hebben wat voor schade ze aanrichten met hun pesterijen. Vanaf 14 jaar. Bij de film is voor Nederlandse leerlingen een lespakket over pesten en geweld op school ontwikkeld.
- *Let the Right One In* (2009)
  De veel gepeste twaalfjarige Oscar wordt verliefd op Eli, een mooi maar merkwaardig meisje, dat een vampier blijkt te zijn. Oscar zint op wraak op de bullebakken die hem pesten en wordt daarbij geholpen door Eli.

- *Fab Five: The Texas Cheerleader Scandal (2008)*
Een groepje cheerleaders domineert de McKinney North High School. De vijf meiden voelen zich superieur en pesten anderen. Ze kunnen ongestoord hun gang gaan omdat de directrice van de school de moeder van een van hen is. Als de vijf cheerleaders hun pijlen richten op hun nieuwe coach Michaela, gaan ze echt te ver. Michaela besluit iedereen te laten weten hoe de cheerleaders haar leven kapotmaken.

- *Mierenmepper / The Ant Bully (2007)*
Lucas is het meest gepeste jongetje van de school en de frustratie daarover reageert hij af op de dichtstbijzijnde mierenhoop. Het pletten van mieren komt hem echter duur te staan, want mierentovenaar Zoc zorgt ervoor dat Lucas net zo klein wordt als een mier. In de film leert de kleine Lucas, dankzij een mierenkolonie, over tolerantie, vriendschap en verantwoordelijkheid. Een lesje over de insectenwereld voor de kleinsten. Vanaf 8 jaar.

- *Nieuwe kleren (verborgen verhalen)*
Korte film gebaseerd op het verhaal van Glenn Eilbracht. Oswin wordt dagelijks gepest op school. Toch wil hij graag meedoen aan een auditie voor het schooltoneel. Hij gaat nieuwe kleren kopen om goed voor de dag te komen. Zal het helpen?

- *Overleven in Nederland: aflevering 'Het busje'*
De serie 'Overleven in Nederland' is een ode aan de veerkracht en de weerbaarheid van kinderen. In de aflevering 'Het busje' moet Henk elke dag met het busje naar een speciale school. Hij wil liever niet met de bus, want daar moet je altijd knokken voor je plek. Het is pesten of gepest worden. De documentaire staat op de dubbel dvd 'Echt gebeurd' met vijftien jeugddocumentaires van Villa Achterwerk en is te koop bij de VPRO.

- *Over de Streep*
Documentaire over de eerste Challenge Day in Nederland in 2010 op het IJburg College in Amsterdam. Challenge Day is een methode uit Amerika, die onder andere wordt ingezet om pesten op middelbare scholen tegen te gaan en wederzijds respect te stimuleren.

- *Pesten en gepest worden (2002)*
De film is als eerste gericht op allochtone ouders. De film kan ook een rol spelen in het gesprek met kinderen over pesten en gepest worden. Vanaf 10 jaar.

- *Pest (1996)*
Onderdeel van het lespakket *Pesten, dat pikken we niet*. Pittige video van zes minuten, dus veel tijd voor discussie. Geen beelden van pesten in de

video. Met een boek voor de gespreksleider om zich stevig voor te berei-den. Vanaf 8 jaar.

- *Sidekicks (1992)*

  Barry is een jongetje met astmatische problemen. Hij leeft bij zijn vader, een computerprogrammeur in Texas. Barry heeft het zwaar op school, vanwege zijn gezondheid en omdat hij altijd gepest wordt. Het enige waar Barry nog plezier uit kan halen is wanneer hij fantaseert dat hij sa-men met Chuck Norris op pad is (Chuck Norris was in het verleden we-reldkampioen karate). Barry krijgt er genoeg van om het pispaaltje te zijn en besluit om karatelessen te nemen en zo ooit Chuck Norris te ont-moeten. Vanaf 12 jaar.

- *Stella (2009)*

  De elfjarige Stella, een buitenbeentje op school, wil best meedoen en vriendjes maken. Maar ze is anders en dat hebben schoolkinderen direct door. De basisingrediënten van het verhaal zijn bekend: haar ouders hebben geen tijd voor haar, Stella wordt op school gepest en leerkrach-ten hebben nauwelijks door hoe de verhoudingen tussen de leerlingen liggen. Geweld tussen kinderen kan gemakkelijk ontsporen. Vanaf 12 jaar.

- *Afblijven (2006)*

  Afblijven is de eerste Carry Slee-verfilming. Het is een emotionele acht-baanrit, waarin het drama hoog oploopt en een goede afloop niet van-zelfsprekend is.

- *justbeyou.nl/exclusief-voorlichtingsfilm-tegen-en-over-pesten*

ANDERE AANBEVOLEN WEBSITES

www.pubervannu.nl
Informatieve website met voor elke doelgroep (de puber, zijn ouders en zij die met pubers omgaan) een eigen ruimte. In de ruimte vind je tips, do's-and-don'ts en andere informatie om deze korte maar heftige periode voor alle betrokkenen zonder al te veel kleerscheuren door te komen.

www.balansdigitaal.nl
Landelijke oudervereniging voor ouders van kinderen met ontwikkelings-problemen.

www.hersenstichting.nl
Informeert over de hersenontwikkeling van jongeren om jongerengedrag inzichtelijker en begrijpelijker te maken voor ouders en hen een beeld te geven van de risico's en mogelijkheden.

www.hpc.nu
Training- en adviesbureau voor met name het onderwijs, en praktijk voor psychotherapie.

www.mijnkindonline
Informatie en tips voor ouders met betrekking tot het gebruik van internet.

www.dekinderconsument.nl
Stichting die opkomt voor digitale kinderrechten in de vorm van voorlichting geven aan professionals, jongeren en hun ouders.

www.cyberouders.nl
Ouders als ambassadeur voor veiligheid op het internet thuis en school/instelling.

www.kennisnet.nl
Zeer uitgebreide informatieve website voor jongeren.

www.jmouders.nl
Informatieve website voor het gezin (opvoeding, school, gezondheid en vrije tijd).

www.kindertelefoon.nl
Organisatie waar kinderen en ook jongeren in vertrouwen terechtkunnen voor hulp, advies en informatie.

www.leefstijl.nl
Lesmateriaal en trainingen over sociaal-emotionele vaardigheden.

www.leerlingbegeleiding.pagina.nl
Alles wat je wilt weten over leerlingbegeleiding.

www.osmoconsult.nl
Training- en adviesbureau voor het onderwijs en coachingspraktijk.

www.ouders.nl
Grootste oudercommunity van Nederland.

www.herstelrechtinhetonderwijs.nl
Expertisecentrum voor herstelrecht, voor verbreding van kennis en vaardigheden voor herstelgericht werken en communiceren. Verder veel informatie over wat herstelrecht is en hoe je dit in je school kunt vormgeven.

www.onderwijsvannu.nl
Platform voor iedereen die met leerlingen en studenten werkt. Het biedt diverse mogelijkheden, tips, werkmateriaal en dergelijke.

www.leerlingvannu.nl
Informatieve website over wat een leerling denkt, doet, beweegt. Bevat veel tips.

www.nji.nl
Informatieve website voor ouders, scholen en instellingen.

Wat weet je van jezelf als je de ander niet kent.

(Freek de Jonge)

OVER DE AUTEUR

Herberd Prinsen heeft een eigen praktijk voor psychotherapie voor met name jongeren, hun ouders en docenten. Verder heeft hij een trainings- en adviesbureau (www.hpc.nu) voor onderwijs, hulpverlening en organisaties in het bedrijfsleven. Hij heeft ruime ervaring op onderwijsgebied; hij was tien jaar leerlingbegeleider/counselor en tot begin 2009 actief als docent biologie, mens & maatschappij.

Herberd is ook bekend als charismatisch en inspirerend spreker tijdens lezingen, radio- en tv-optredens en hij heeft onder andere de volgende publicaties op zijn naam staan:

o *Sociaalvaardig* (Kok Kampen, 2006).
o *Ja, maar ik ben wel leraar* (Quirijn, 2007).
o *Mijn kind een kanjer* (Bohn Stafleu van Loghum, 2009).
o *Pubers van nu* (H. Prinsen en K.J. Terpstra, Bohn Stafleu van Loghum, 2009).
o *Help, mijn kind heeft faalangst* (Bohn Stafleu van Loghum, 2010).
o *Mentor van nu* (K.J. Terpstra en H. Prinsen, Onderwijs van nu, 2011).
o *Trainersboek Faalangst, examenvrees en sociale vaardigheden* (LannooCampus, 2011).
o *Werkboek Mentor van nu* (K.J. Terpstra en H. Prinsen, Onderwijs van nu, 2012).
o Diverse artikelen in vakbladen voor het onderwijs.

Herberd Prinsen
Trainersboek faalangst, examenvrees en sociale vaardigheden
Een praktisch handboek voor trainers in en buiten het onderwijs
LannooCampus | 245 blz. met 106 oefenkaarten | isbn 978 90 209 7645 8

Vergroot het zelfvertrouwen van pubers
Gebrek aan sociale vaardigheden en zefvertrouwen kan leiden tot negatief
gedrag. Dit boek biedt trainers in en buiten het onderwijs handvatten om
faalangst, examenvrees en sociaal onhandig gedrag bij pubers te signaleren en te begeleiden. Een praktisch handboek met tips en adviezen voor
het opzetten van een training.
Het materiaal voor de oefening 'Dobbelen voor het leven' is bijgevoegd,
waardoor de trainer hier direct mee aan de slag kan.
Een onmisbaar boek voor faalangst-, examenvrees en sociale vaardigheids-
trainers, psychologen en pedagogen.

Verkrijgbaar via www.lannoocampus.nl of de boekhandel

Corrie Haverkort en Ed Spruijt
Kinderen uit nieuwe gezinnen
Handboek voor school en begeleiding
LannooCampus | 308 blz. | isbn 978 94 014 0185 2

Wat als mama en papa niet samen naar de ouderavond willen komen?
Er zitten in iedere klas gemiddeld 20% leerlingen uit nieuwe gezinnen.
Deze kinderen komen uit eenoudergezinnen of samengestelde gezinnen
en hebben o.a. te maken met het wonen in twee huizen en loyaliteitscon-
flicten. Dit heeft invloed op de schoolresultaten en het welzijn van het kind.
Dit handboek toont nieuwe cijfers uit onderzoek, geeft praktische tips en
handvatten, en biedt een overzicht van interventiemogelijkheden. Een onmisbaar boek voor professionals in het onderwijs, de begeleiding, de hulpverlening en overheid, en studenten in opleiding tot deze beroepen.

Verkrijgbaar via www.lannoocampus.nl of de boekhandel